Kesley observait Lee d'un air pensif

"Savez-vous que vous m'intriguez? Je vous vois mélancolique et sans entrain. N'avez-vous jamais pensé à vous remarier?"

"Et vous?" fit Lee, piquée au vif.

"Oui, j'y ai souvent pensé. Je ne suis pas fait pour la vie de célibataire."

"Et qui sera l'heureuse élue?"

"Je ne le sais pas encore."

"Mais vous n'avez que l'embarras du choix?"

"Pas vraiment. Du moins, pas si l'on croit cet adage selon lequel il existe pour chacun de nous un compagnon prédestiné…"

"Et vous le croyez?" s'irrita-t-elle. "Pour ma part, jamais je ne laisserais faire le hasard pur et simple!" Sa grande séduction l'exaspérait…

Un hiver bien trop long

par

ELIZABETH GRAHAM

Harlequin Romantique

PARIS · MONTREAL · NEW YORK · TORONTO

Publié en janvier 1983

ISBN 0-373-41163-4

Dépôt légal 1er trimestre 1983
Bibliothèque nationale du Québec et Bibliothèque nationale
du Canada.

Imprimé au Canada—Printed in Canada

1

L'interphone reliant le bureau de la secrétaire avec celui de la direction générale se mit à grésiller. Une main fine, aux ongles discrètement peints de rose, appuya sur le commutateur.

— Oui, Ruth ?

— Madame Whitney, un certain M. Roberts désire vous parler. Dois-je vous passer la communication ?

Un bref silence suivit cette question. Puis la directrice des entreprises Whitney répondit d'une voix posée.

— Non. Je suis en réunion pour le moment. Qu'il laisse un message.

— Excusez-moi si j'insiste, reprit la voix de la secrétaire, mais M. Roberts téléphone de l'aéroport. Son vol pour le Canada décolle dans quelques instants...

— C'est son problème, et non le mien, j'en ai peur. Il n'a qu'à écrire. Dites-lui que je répondrai personnellement à son courrier.

D'un geste sec, Lee Whitney coupa la communication et se tourna vers Maitland Frasier, son homme de confiance, qui attendait patiemment, assis à l'autre bout de la table de conférence. Durant quelques fugitives secondes, ce ne fut pas le débonnaire visage de Maitland que Lee vit en face d'elle, mais les traits de

Kesley Roberts, l'homme à qui elle avait refusé de parler quelques instants auparavant. Kesley était-il toujours le mince et séduisant jeune homme qu'elle avait connu ? se demanda-t-elle. Marchait-il toujours de ce pas souple et félin ? Ou bien la vie l'avait-elle voûté, épaissi, durant les sept années qui s'étaient écoulées depuis leur séparation ?

— Pourquoi avez-vous refusé de parler avec ce M. Roberts ? demanda Maitland, curieux. Vous savez bien qu'il désire acheter notre société de remorquage portuaire, la Frantung, et nous cherchons justement à la vendre. Elle n'a plus grand intérêt pour nous et nous avons besoin de capitaux pour nos nouvelles opérations commerciales.

C'était vrai. Les entreprises Whitney ne consistaient, à la mort de leur propriétaire Fletcher Whitney cinq ans auparavant, qu'en une prospère mais modeste société de remorquage portuaire offrant ses services aux nombreuses compagnies maritimes de San Francisco. Et c'était grâce aux efforts acharnés et au flair de Lee, la jeune veuve de Fletcher, que l'entreprise s'était développée, enrichie, jusqu'à devenir un puissant trust commercial et industriel. Lee dirigeait à présent un bureau d'import-export entre les Etats-Unis et l'Orient, une chaîne de magasins d'alimentation, une usine qui mettait en bouteilles les jus des fruits produits par les immenses exploitations agricoles dont la compagnie était devenue propriétaire. Figuraient également au tableau des investissements de la firme Whitney, de nombreux immeubles de rapport, achetés judicieusement avant la flambée des prix immobiliers et d'importants portefeuilles d'actions dans les grandes banques américaines. Oui, Fletcher aurait été émerveillé de l'ampleur qu'avait donnée Lee à sa firme par sa gestion experte, s'il avait vécu. Lui-même n'aurait pas été capable d'orchestrer ce développement foudroyant, mais qui aurait pu le lui reprocher ? Il avait dépassé la soixantaine quand il avait épousé Lee et ne possédait plus alors l'ambition et la témérité de la jeunesse. En évoquant le souvenir de celui qui fut son mari, les yeux de la jeune femme se voilèrent.

— Alors ? entendit-elle soudain Maitland lui demander avec impatience.

— Alors... quoi ? questionna-t-elle à son tour, s'arrachant à sa rêverie mélancolique.

En levant les yeux vers son interlocuteur, elle remarqua distraitement que le cou de celui-ci s'épaississait. Malgré ses rendez-vous bihebdomadaires avec un professeur de gymnastique, Maitland s'acheminait irréversiblement vers l'embonpoint si courant chez les hommes d'affaires.

— Vous êtes vraiment distraite, aujourd'hui, Lee, remarqua-t-il en souriant avec indulgence. Allons-nous oui ou non entamer des négociations avec ce M. Roberts pour lui vendre la Frantung ? Si mes souvenirs sont bons, il avait déjà essayé de l'acheter, il y a quelques années, du temps de Fletcher. A l'époque, il n'avait pas un sou en poche et avait proposé d'acquérir la Frantung à crédit ! Fletcher avait refusé, bien sûr... Kesley Roberts sait ce qu'il veut et il est obstiné, c'est un point en sa faveur...

Lee saisit le stylo en or posé sur son écritoire et joua machinalement avec l'objet.

— Les choses sont différentes, aujourd'hui, dit-elle pensivement, les yeux baissés. M. Roberts peut se permettre d'acheter la Frantung et de payer comptant, s'il le désire. Il possède, avec son frère, une compagnie de transports maritimes très prospère à Seattle.

Maitland éclata d'un rire franc et Lee se tourna vers lui, surprise.

— Lee, dit-il, vous m'étonnerez toujours. Quelle femme d'affaires remarquable vous êtes ! J'aurais dû me douter que vous aviez déjà fait une enquête préliminaire sur l'éventuel acquéreur d'une de vos sociétés. Je parie que vous savez tout sur ce M. Roberts et sur sa société.

Lee savait en effet beaucoup de choses sur Kesley Roberts. Mais Maitland ne devinerait jamais que l'enquête de Lee durait depuis sept ans. A distance, elle avait suivi son ascension irrésistible dans le monde des affaires, ses succès, son étoile toujours grandissante...

— Oui, admit-elle d'un ton volontairement léger, j'ai pris quelques renseignements sur son compte. L'intérêt de la compagnie Whitney est en jeu et tant que j'en serai présidente, elle ne tombera jamais dans un piège commercial.

D'un geste devenu désormais machinal, elle lissa son impeccable coiffure. Chaque matin, elle emprisonnait sa longue chevelure blond vénitien dans un strict chignon qu'elle jugeait accordé à sa dure profession de femme d'affaires.

— Vous ne laissez jamais rien au hasard, reprit admirativement Maitland. C'est extraordinaire! Vous êtes vraiment une administratrice hors pair. Fletcher avait deviné ces qualités en vous. Peut-être est-ce pour cela que...

Il s'interrompit brusquement, embarrassé.

— Qu'il m'a épousée? compléta Lee d'un ton neutre. Non, Maitland, ce n'est pas pour cela que nous nous sommes mariés... J'étais simplement sa secrétaire à l'époque et je ne connaissais absolument rien au monde des affaires. Quand il est mort, j'ai dû tout apprendre, et rapidement...

— Même quand vous n'étiez que sa secrétaire, Fletcher vous demandait toujours conseil et attachait grande importance à vos avis et à vos suggestions sur la marche de l'entreprise, insista Maitland, observant attentivement la jeune femme de son regard bleu pâle. Votre père et lui étaient très liés, n'est-ce pas?

— Oui, ils faisaient partie du même régiment de la Royal Air Force, durant la guerre. Si Fletcher m'a offert un poste dans sa compagnie, c'est probablement grâce à cela mais... C'est tout. Notre mariage n'avait rien à voir avec son amitié pour mon père...

Lee savait qu'elle ne disait pas l'exacte vérité. Fletcher ne l'aurait jamais épousée s'il n'avait pas été animé du désir de protéger la fille de son meilleur ami, Bernard Todd, qui avait trouvé la mort quelques années auparavant aux commandes du petit avion qu'il aimait piloter. Sa femme, Lisa, avait également disparu dans le tragique accident, laissant Lee orpheline.

— Bien, fit Maitland en se levant lourdement, je vous laisse. Je dois rendre visite au gérant d'une de nos exploitations agricoles pour régler un petit problème syndical. Je passerai vous prendre chez vous vers dix-neuf heures trente, ce soir.

— Pardon ? demanda Lee, déconcertée.

— Mais oui, expliqua-t-il, légèrement agacé. Nous devons nous rendre à l'Opéra, ce soir, rappelez-vous ! C'est la dernière représentation de la saison et vous vous devez d'y assister...

— Ah, oui, c'est vrai, je l'avais oublié... Entendu, Maitland, je vous attendrai à sept heures et demie chez moi.

Quand Maitland quitta le bureau, Lee resta long-temps assise, immobile, les yeux perdus dans le vague. Elle n'avait pas la moindre envie d'aller à l'Opéra mais Maitland l'y obligerait, elle le savait. Ni l'un ni l'autre n'aimait particulièrement la musique d'opéra mais il était du devoir de Lee d'assister à cette représentation, comme à beaucoup d'autres événements mondains. La bonne société californienne n'aurait pas admis que la belle et jeune veuve de Fletcher Whitney refuse par trop souvent ses invitations. Maitland Frasier lui faisait office de chevalier servant pour ces occasions. Le fait qu'ils sortent toujours ensemble ne prêtait pas aux commérages. Chacun savait, à San Francisco, que Maitland était le plus proche collaborateur de Lee.

Mais, ce soir-là, la jeune femme aurait voulu être seule et elle savait exactement pourquoi. Elle voulait se laisser aller à évoquer le passé et à éveiller, malgré la douleur et l'amertume, le souvenir de l'homme qui, après sept ans de silence, venait à nouveau de pénétrer dans sa vie, grâce à un simple coup de téléphone.

L'interphone grésilla dans le silence profond du grand bureau.

— Madame Whitney, votre voiture vous attend, annonça la secrétaire.

— Bien, je descends tout de suite.

Dans la limousine conduite par son chauffeur, Lee essaya de chasser de son esprit le nom de Kesley Roberts. Elle n'avait que trop pensé à lui, durant ces sept années... Combien de nuits avait-elle passées à le maudire, à le haïr, torturée par le désespoir et l'humiliation ?

La voiture s'arrêta doucement devant l'élégant porche de la résidence Whitney. Comme à l'accoutumée, Lee attendit que le chauffeur descende et contourne le véhicule pour venir lui ouvrir cérémonieusement la portière.

— Aurez-vous besoin de moi ce soir, Madame ? demanda-t-il.

— Non, M. Frasier viendra me chercher avec sa voiture. Vous pouvez prendre une soirée de congé, répondit-elle en gravissant les quelques marches de marbre blanc qui conduisaient à la porte d'entrée.

— Merci beaucoup, Madame. Je vous attendrai à neuf heures et quart, demain matin, comme d'habitude.

Lee poussa la lourde porte de chêne massif et pénétra dans l'imposant hall d'entrée. Comme chaque soir, elle apprécia le profond silence qui régnait dans sa maison. C'était si agréable de se retrouver au calme, après l'agitation et le bruit de San Francisco qu'elle avait à subir toute la journée. La silhouette d'Anna, la gouvernante, apparut devant la porte du salon. Anna était une forte personne d'âge mûr et veillait avec diligence au confort et au bien-être de sa jeune maîtresse.

— Bonjour Madame, la salua-t-elle. Je vous ai préparé votre cocktail. Vous le trouverez dans la bibliothèque.

Lee remarqua la légère désapprobation qui perçait sous la voix de la digne femme et sourit, amusée. Anna la considérait toujours comme une enfant dont les fâcheux penchants devaient être surveillés. Dieu sait pourtant qu'elle n'avait pas le temps de mener une vie dissolue avec toutes les responsabilités qui pesaient sur ses épaules ! Elle méritait le cocktail qu'elle s'accordait chaque soir en rentrant de son travail.

— Merci, Anna, dit-elle en souriant.

— Un certain M. Roberts a téléphoné cet après-midi, continua la gouvernante. Je me demande comment il a réussi à obtenir votre numéro de téléphoner ici... Quoi qu'il en soit, il a insisté pour que vous le rappeliez dès que possible, à ce numéro.

Elle fouilla la poche de son vaste tablier blanc et tendit une feuille de papier froissée à Lee. Celle-ci la prit, essayant de contrôler le tremblement subit qui agitait sa main.

— Merci Anna, dit-elle d'un ton léger en se dirigeant vers la porte de la bibliothèque. Ce monsieur a déjà téléphoné aujourd'hui, au bureau, et je lui ai dit qu'il n'avait qu'à écrire. Son affaire peut attendre...

Elle ferma la porte derrière elle et se dirigea vers la console où était posé son cocktail. D'une main mal assurée, elle prit le verre et le porta à ses lèvres. Non, songea-t-elle amèrement, il n'y avait plus aucune urgence, désormais. Kesley Roberts attendrait. Sept ans plus tôt, elle avait eu désespérément besoin de lui et s'il l'avait appelée après leur rupture, elle lui aurait parlé. Mais il ne l'avait jamais contactée et ignorait jusqu'à ce jour dans quelle tragique situation elle se trouvait à l'époque. En effet, peu de temps après leur brutale séparation, elle s'était aperçue qu'elle attendait un enfant de lui. Et c'est alors que Fletcher Whitney, l'ami de son père, pour lequel elle travaillait, avait offert de l'épouser. Elle l'avait mis au courant de son état dans un moment de désespoir et il avait immédiatement proposé cette solution. L'enfant qui allait naître devait avoir un nom, avait-il insisté, et il avait offert à la jeune fille éplorée le sien et sa protection en lui faisant comprendre qu'il ne demanderait rien en échange, que leur mariage serait une union tout à fait platonique. Oui, Fletcher Whitney s'était conduit en vrai gentleman, se rappela Lee en se versant un second verre d'alcool. Son offre n'avait été motivée que par un esprit chevaleresque et désintéressé. Il avait profondément aimé sa première épouse, décédée quelques années auparavant et, malgré cela, il avait fait une place dans son cœur à sa nouvelle jeune femme, l'entourant de ses conseils et de son affection. Pourtant, il devait savoir que tout San Francisco se gausserait de cet étrange mariage entre un vieil homme respectable et une toute jeune fille de dix-neuf ans, et que personne ne croirait un instant que l'enfant qui allait naître était le sien. En fait, cet ultime ridicule lui avait été épargné puisque Lee avait perdu son enfant au cinquième mois de sa grossesse.

Lee se leva et arpenta nerveusement la pièce, bouleversée par le flot de souvenirs qui l'envahissaient. Elle avait aimé Fletcher à sa manière, comme le père qu'elle avait perdu. En échange de la sécurité et de l'affection qu'il lui avait données, elle lui avait offert la fraîcheur de sa jeunesse, son enthousiasme et son aide efficace dans la gestion de la société Whitney. Quand elle avait perdu son enfant, Fletcher avait sans doute pensé qu'elle le quitterait pour reconstruire sa vie, mais elle s'était au contraire rapprochée de lui à ce moment-là. Les hommes de son âge ne l'intéressaient pas. Son

amère expérience avec Kesley Roberts l'avait rendue
méfiante... Comment avait-elle pu l'aimer, vouloir
passer sa vie à ses côtés, quand il ne la considérait que
comme une passade, une aventure sans importance?
Après le choc qu'elle avait subi à cause de lui, les
quelques années de son mariage avec Fletcher restaient
dans le souvenir de Lee comme une période de paix
douce et heureuse.

La sonnerie du téléphone retentit dans le hall.
L'oreille aux aguets, Lee attendit. Quelques instants
plus tard, Anna frappa à la porte de la bibliothèque et
entra en maugréant :

— C'est ce M. Roberts... Je lui ai dit qu'il n'avait
qu'à écrire, mais il a insisté pour vous parler...

Il insistait... Kesley avait dû beaucoup changer
durant ces années. Quand elle l'avait connu, c'était un
jeune homme fier et susceptible. Ses succès d'homme
d'affaires avaient dû lui donner une belle assurance
pour qu'il se permette de pourchasser la directrice des
entreprises Whitney au téléphone, jusqu'à son domi-
cile... Mais il n'aurait sans doute jamais été aussi
insistant si Lee avait été un homme, elle en était sûre...

— Bien, Anna, fit-elle d'un ton exaspéré, je vais lui
parler puisque cela semble être le seul moyen de s'en
débarrasser...

Elle se dirigea d'un pas décidé vers le téléphone du
hall. Sa main tremblait à peine quand elle saisit l'écouteur.

— Allô, M\ᵐᵉ Whitney à l'appareil, fit-elle d'un ton
volontairement impatient.

Un léger silence s'installa sur la ligne. Kesley devait
être surpris qu'elle ait consenti si rapidement à lui
parler. Néanmoins, il se reprit vite et commença :

— Je vous suis reconnaissant de m'accorder quelques minutes d'entretien, madame Whitney...

Malgré la distance et le léger grésillement de la
communication, Lee reconnut immédiatement la voix

chaude de Kesley et ses doigts se crispèrent sur l'écouteur. Et lui, reconnaîtrait-il sa voix?

— Ce n'est rien, monsieur Roberts, répondit-elle, mais il me semble vous avoir fait dire que vous pourriez m'exposer votre projet par courrier...

— Je préférais vous parler de vive voix, l'interrompit-il gaiement.

Comme c'était étrange, songea brusquement Lee. Sept ans plus tôt, le seul son de sa voix la faisait frémir et, à présent, elle restait de marbre en l'écoutant parler. Le passé était bien mort...

— Que diriez-vous d'une ou deux semaines de vacances au Canada? l'entendit-elle soudain demander.

— Pardon? s'étonna-t-elle, éberluée.

— Oui, je possède une résidence sur une île, au large des côtes canadiennes, continua-t-il avec aplomb. Le climat y est bien meilleur qu'à San Francisco, en août!

— Je dirais que votre offre ne m'intéresse absolument pas, rétorqua Lee, perdant momentanément son sang-froid. Je vis à San Francisco toute l'année et je m'en trouve très bien!

Elle s'interrompit un instant et prit une longue inspiration. Elle était sûre à présent que Kesley n'avait pas reconnu sa voix. D'ailleurs, comment aurait-il pu associer le ton froid et coupant de son interlocutrice au souvenir de la tendre jeune fille qui l'avait aimé passionnément, il y a bien longtemps? C'était en fait grâce à lui, grâce à la blessure qu'il lui avait infligée qu'elle avait acquis une telle force de caractère et une si grande assurance. Même le plus misogyne des hommes d'affaires avec qui elle était quotidiennement en contact la respectait.

— C'est hors de question, monsieur Roberts, repritelle. J'ai déjà pris des engagements pour le mois d'août et, comme je vous l'ai déjà dit, je ne suis pas vraiment pressée de vendre la compagnie Frantung.

Un long silence tomba. Kesley la maudissait sans doute en son for intérieur pour son obstination. Il avait peut-être cru arriver à ses fins en lui proposant une alléchante semaine de vacances dans son île, mais il ignorait encore à qui il avait affaire...

— Il ne s'agit pas seulement de la société Frantung, concéda-t-il enfin d'un ton moins assuré. J'ai également une autre affaire à vous proposer. Vous seriez intéressée, j'en suis sûr...

— Ah ? fit-elle d'un ton neutre.

Malgré les griefs qu'elle avait contre Kesley, il avait éveillé sa curiosité. Elle manifestait un tel intérêt envers tout ce qui pouvait enrichir sa compagnie qu'elle ne put s'empêcher de demander :

— De quoi s'agit-il ?

— D'une société d'import-export, basée à Vancouver au Canada, l'informa-t-il brièvement. Je ne peux vous en dire plus pour l'instant.

— Et pourquoi cette société d'import-export m'intéresserait-elle ? s'enquit-elle sèchement.

— Parce que c'est une affaire exceptionnelle, tout simplement, et je crois que vous cherchez à investir au Canada. Personne ne sait encore que le propriétaire de ladite compagnie cherche à la vendre, et il viendra justement me rendre visite à Madrona en août. Vous devriez venir aussi et le rencontrer...

— Madrona ? demanda Lee, perplexe.

— Oui, c'est le nom de l'île dont nous sommes propriétaires.

— Nous ?

— Oui, mon frère et moi.

Lee se mordilla nerveusement les lèvres, ce qui indiquait chez elle une profonde concentration. Elle pesait rapidement en son for intérieur le pour et le contre d'un tel voyage. Bien sûr, l'offre de Kesley pouvait se révéler intéressante du point de vue commercial et elle ne négligeait jamais cet aspect des choses. Mais, d'un autre côté, si elle se rendait à Madrona, elle reverrait celui qui avait ruiné sa vie — car il s'agissait bien de ruine — par sa désinvolture et sa malhonnêteté. Elle le haïssait autant qu'autrefois et elle savait bien que rien ne pourrait jamais adoucir cette haine qui la rongeait depuis sept ans… Le temps avait effacé la douleur mais non la rancune.

Et si elle se trompait ? Ne lui offrait-il pas justement l'occasion d'excorciser les fantômes du passé ? Lee était assez lucide pour comprendre qu'elle ne trouverait jamais la paix et le bonheur si elle n'affrontait pas maintenant ce tragique amour de jeunesse. Il était temps, elle ne devait pas reculer…

D'un geste décidé, elle saisit son agenda posé à côté du téléphone et le consulta. Le mois d'août était calme. Il ne lui serait pas difficile d'annuler les quelques rendez-vous qu'elle avait déjà pris.

— Je peux m'arranger de façon à vous accorder une semaine, à la mi-août, dit-elle enfin.

— Accordez-m'en deux et je serai satisfait, répliqua-t-il avec aplomb. Ainsi, si le séjour de mon invité venait à être repoussé de quelques jours, vous ne risquerez pas de le manquer.

— S'il est vraiment décidé à vendre, il prendra ses dispositions pour se trouver chez vous en même temps que moi, coupa sèchement Lee.

— Je comprends votre réaction, concéda Kesley d'un ton apaisant, mais je crois que c'est nous qui devons faire des concessions. L'affaire est trop importante pour suivre le protocole d'une négociation traditionnelle.

Kesley n'hésitait pas à s'associer aux intérêts de Lee par le « nous ». En d'autres temps, elle en aurait été heureuse, mais à présent, cela la laissait froide.

— Très bien, céda-t-elle, mais je veux que vous me fassiez parvenir, le 20 juillet au plus tard, une étude détaillée de ce projet, chiffres et statistiques à l'appui…

16

— Ne vous inquiétez pas, vous l'aurez, assura Kesley.

Et il coupa la communication. Lee reposa lentement le combiné. Elle regrettait déjà sa décision. A pas lents, elle regagna la bibliothèque. Une étrange tristesse s'était abattue sur elle. Ne venait-elle pas de compromettre la revanche qu'elle caressait en rêve depuis si longtemps en acceptant d'emblée de se rendre sur le territoire de son ennemi ? Durant les sept années écoulées, pas un jour ne s'était passé sans que Lee n'imagine la manière dont elle ferait payer à Kesley sa trahison. Le scénario de sa vengeance était toujours le même, et elle en avait orchestré les moindres détails, avec une patience et une minutie égales à sa haine. En fermant les yeux, elle pouvait voir Kesley arriver au siège des Etablissements Whitney, quémandant une faveur. Cette faveur était par exemple l'acquisition de la société Frantung, qu'il poursuivait depuis longtemps. Impatient, il entrerait dans le bureau directorial et qui verrait-il en face de lui ? Celle qu'il avait séduite et abandonnée sept ans plus tôt. Mais il se rendrait vite compte qu'elle n'était plus la timide et crédule jeune fille qu'il avait connue. Elle lui montrerait qu'il fallait craindre et respecter la jeune veuve de Fletcher Whitney, femme d'affaires riche et puissante dirigeant un empire financier. Elle se repaîtrait alors de la confusion et de la gêne de Kesley avant de le congédier dédaigneusement. N'était-ce pas pour ce moment, pour cette ultime victoire, qu'elle avait travaillé d'arrache-pied durant toutes ces années, surmontant tous les obstacles dressés devant sa jeunesse et son inexpérience ?

En lui léguant l'entreprise Whitney, Fletcher avait accéléré son ascension jusqu'à la fortune et la puissance, mais elle savait au fond d'elle-même que, même si le sort ne l'avait pas favorisée de cette manière, elle serait malgré tout parvenue à son but. La volonté de se venger, de surmonter son passé, l'avait irrésistiblement poussée jusqu'au succès. Et à présent le moment qu'elle attendait depuis si longtemps était arrivé... Mais sa confrontation avec Kesley ne se déroulerait pas comme elle l'avait imaginée. Lee s'inquiétait particulièrement d'une chose : une fois que Kesley aurait reconnu sa maîtresse d'un soir sous les traits de Mme Fletcher et qu'elle se serait repue de sa surprise, que se passerait-il ? Elle ne pourrait le congédier, comme elle en avait eu l'intention s'il était venu la voir dans son bureau. A vrai dire, son rêve de vengeance s'était toujours arrêté là, au moment où elle lui intimerait de sortir. Mais elle ne devait pas s'inquiéter : elle n'aurait pas à rester sur l'île de Madrona plus longtemps que nécessaire pour consommer sa revanche. Elle prétendrait même être intéressée par l'acquisition d'une nouvelle société, le tiendrait en haleine pendant quelques jours, puis s'éclipserait sans explication !

A cet instant, Anna entra dans la bibliothèque et s'exclama :

— Comment ? Vous n'êtes pas encore montée vous changer ? Avez-vous l'intention d'aller à l'Opéra dans cette tenue-là ?

— Pardon ? Oh, non, j'allais justement m'habiller, répondit Lee en se levant.

Elle jeta un coup d'œil à sa montre-bracelet et s'écria :

— Mon Dieu, il faut que je me dépêche. Il est beaucoup plus tard que je ne le pensais !

Anna la suivit dans le hall, s'enquérant avec curiosité :

— Avez-vous réussi à vous débarrasser de ce M. Roberts ?

— Pas vraiment, répondit Lee en gravissant les premières marches de l'escalier qui montait à l'étage supérieur. Ou du moins, pas encore...

Par-dessus la rampe, Lee vit Anna hocher la tête

d'un air réprobateur. La fidèle gouvernante l'avait accueillie avec hostilité quand elle avait épousé Fletcher. Elle pensait, comme beaucoup à San Francisco, que Lee était uniquement attirée par la fortune du vieil homme. Et c'était une réaction bien compréhensible quand on considérait l'énorme différence d'âge entre Fletcher et sa toute jeune femme. Néanmoins, avec le temps, Anna avait été amenée à réviser son jugement. Elle avait pu observer l'authentique tendresse qui unissait ses maîtres et depuis lors, elle considérait Lee comme sa propre fille, l'entourant d'une affection bourrue mais sincère.

Dans sa chambre, Lee ôta rapidement son strict tailleur et se dirigea vers sa garde-robe. Parmi les nombreuses toilettes pendues à l'intérieur, elle choisit une longue robe de mousseline gris perle, simple mais élégante. L'Opéra de San Francisco ne tolérait pas les fantaisies vestimentaires et Lee s'habillait toujours en fonction de l'image qu'elle devait donner d'elle-même à la bonne société californienne : celle d'une jeune femme distinguée et respectueuse des traditions. Quand il vint la chercher, Maitland l'enveloppa d'un regard admiratif.

— Vous êtes parfaite, commenta-t-il avec le sérieux d'un professeur observant les progrès de son élève.

Lee ne put réprimer un petit geste d'irritation. Elle savait aussi bien que Maitland comment il convenait de s'habiller pour une soirée à l'Opéra et sa peur du qu'en-dira-t-on l'excédait.

Ils se dirigèrent vers la salle à manger où Anna devait leur servir un léger dîner.

— J'ai réfléchi à l'affaire Frantung, annonça Maitland en avançant galamment une chaise à l'intention de Lee avant de s'asseoir lui-même. Si ce M. Roberts nous en offre un bon prix, nous avons tout intérêt à la vendre. Elle ne nous rapporte pas grand-chose et nous avons besoin de liquidités pour acheter quelques immeubles.

A nouveau, Lee se sentit inexplicablement irritée par le sérieux de Maitland. Elle s'en réprimanda intérieurement. Maitland avait à cœur les intérêts des entreprises Whitney et c'était un excellent collaborateur. Les affaires, le commerce, étaient toute sa vie et le seul sujet de ses conversations avec Lee. Jamais il ne lui avait fait la moindre avance, bien qu'ils se voient tous les jours, et cela aussi était appréciable. En fait, elle n'imaginait pas Maitland courtisant qui que ce soit... Peut-être avait-il été déçu, lui aussi ? Mais c'était peu probable. Les hommes surmontaient toujours beaucoup mieux les échecs sentimentaux que les femmes.

— Je vous ferai part de ma décision à mon retour du Canada, annonça-t-elle calmement.

Les yeux de Maitland s'arrondirent de surprise.

— A votre retour du Canada ? répéta-t-il, incrédule.

— Oui, Kesley Roberts m'a demandé de passer une quinzaine de jours chez lui, sur l'île dont il est propriétaire.

— Et vous avez accepté ? s'étonna-t-il, stupéfait. Mais... Vous ne prenez jamais de vacances, d'habitude. Et pourquoi cette décision si subite ?

Il fronça les sourcils, saisi d'un soupçon.

— Vous connaissiez ce Roberts avant, n'est-ce pas ?

— C'est exact, répondit Lee d'un ton volontairement désinvolte. C'est bien naturel, puisqu'il devait passer par mon bureau pour voir Fletcher... Et Dieu sait qu'il est souvent venu le voir !

Grâce à moi, songea-t-elle avec amertume. Sans mon aide, il n'aurait jamais pu obtenir une entrevue avec le directeur de la compagnie Whitney...

Maitland ouvrait la bouche pour protester quand Anna entra, apportant une alléchante omelette aux champignons. Il attendit qu'elle soit sortie pour parler et le fit avec une agressivité inhabituelle chez lui.

— Et parce que vous avez vaguement connu cet homme il y a quelques années, vous acceptez de vous rendre chez lui pour quinze jours ? Vous accordez plus d'importance que je ne le pensais à la Frantung.

— Je ne fais pas seulement ce voyage pour la Frantung, concéda Lee. M. Roberts va me mettre en rapport avec le propriétaire d'une compagnie d'import-export de Vancouver. Il songe à vendre et je crois que ce pourrait être un bon placement pour nous.

— Dans ce cas, je viens avec vous, décida péremptoirement Maitland.

— Non ! s'écria impulsivement Lee.

Voulant détourner ses soupçons, elle expliqua posément à Maitland que leur double présence à Madrona serait une grave erreur de tactique commerciale. En voyant Lee arriver flanquée de son homme de confiance, Kesley et son invité comprendraient qu'elle attachait beaucoup d'importance à l'affaire qu'ils lui proposaient. La grande règle des affaires n'était-elle pas de prétendre l'indifférence jusqu'à ce qu'un contrat en bonne et due forme soit signé ? Le résultat de son petit discours apaisant dépassa les espérances de Lee. Maitland se rendit sans peine aux bien-fondé de ses arguments. Lee éprouva même un pincement de dépit à le voir surmonter si vite ses réticences. Mais n'était-ce justement pas pour cette froide clairvoyance qu'elle l'appréciait ?

Le reste de la soirée sembla particulièrement long et ennuyeux à Lee. A l'Opéra, ils partagèrent leur loge avec M. et Mme Willoughby, riches industriels de la confiserie américaine. Le rideau se leva ponctuellement à neuf heures et le spectacle commença. Lee perdit rapidement le fil de l'action qui se déroulait sur la scène. Elle se laissa aller à évoquer le passé et bientôt, devant ses yeux mi-clos, les projecteurs du théâtre se transformèrent en lustres, les lustres du hall d'un hôtel, et le ténor prit les traits de Kesley. Il se penchait vers une toute jeune fille. Le visage que celle-ci levait vers lui rayonnait de bonheur. Personne, en l'observant, n'aurait pu s'y tromper. Elle était follement amoureuse de l'homme qui passait à présent son bras autour de son cou et lui murmurait à l'oreille :

— J'ai du champagne, dans ma chambre. Veux-tu en boire un peu avec moi ?

Elle était tellement éprise, tellement innocente, qu'elle avait accepté son invitation sans arrière-pensées, se laissant ainsi prendre à cette banale stratégie de séducteur. Et le piège s'était refermé sur elle... Beaucoup plus tard, Lee s'était souvent demandé pourquoi elle avait cédé si facilement à Kesley. Le champagne lui avait peut-être fait perdre une part de sa lucidité mais cela n'expliquait pas tout. La vérité était qu'elle aimait pour la première fois de sa vie et que, perdue dans l'euphorie de cet amour, elle avait imprudemment fait confiance à un homme.

Dans sa chambre d'hôtel, ils avaient bu le vin, les yeux dans les yeux, puis ils avaient échangé un long baiser. Lee se souvenait encore de chacune des paroles de Kesley...

— Tu es si belle, avait-il murmuré en caressant la masse dorée des cheveux de Lee. Si belle et si candide...

Brusquement, il s'était levé du canapé où ils étaient assis, serrés l'un contre l'autre.

— Lee, avait-il dit, il vaut mieux que tu partes... Tu ignores beaucoup de choses sur mon compte et... Tu me haïrais si tu les apprenais.

— Mais pourquoi ? avait-elle innocemment demandé. Je t'aime, Kesley, et rien ne pourra jamais changer mes sentiments pour toi...

Il l'avait alors reprise dans ses bras et la jeune fille, étourdie par ses baisers passionnés, avait oublié l'étrange déclaration qu'il lui avait faite quelques instants auparavant. Rien d'autre ne comptait plus pour elle que les lèvres chaudes de Kesley et ses mains impatientes qui la caressaient tout en la déshabillant. Elle s'était bientôt retrouvée nue, offerte à ses regards, et elle n'avait pas protesté quand, d'un souple mouvement, il l'avait soulevée du canapé pour la porter jusqu'au lit. Lee se souvenait encore de la triomphante exaltation qui l'avait transportée quand elle s'était abandonnée à lui, des serments d'amour qu'il lui avait murmurés au creux de l'oreille, entre deux baisers. Cette nuit-là, ils s'étaient endormis étroitement enlacés et Lee avait rêvé à la longue et heureuse vie qu'ils allaient partager. Chaque matin, elle lui préparerait son petit déjeuner, écouterait le récit de sa journée quand il reviendrait le soir de son travail, l'aiderait, le conseillerait. Un jour, ils auraient des enfants et les élèveraient dans la joie d'un foyer uni...

La voix sèche de Dorothy, la belle-sœur de Kesley, résonnait encore aux oreilles de Lee tandis qu'elle se remémorait ce triste matin où tous ses rêves étaient tombés en poussière. Elle s'était réveillée et avait découvert avec surprise qu'une jeune femme maigre et revêche se tenait au pied du lit, la fixant d'un air curieux et moqueur. Quant à Kesley, il avait disparu.

— Je crois qu'il est temps pour vous de partir, avait déclaré l'inconnue. Les conquêtes de Kesley sont moins paresseuses que vous, d'habitude...

— Que... Que voulez-vous dire ? avait balbutié Lee en remontant les draps sur ses épaules nues. Et tout d'abord, qui êtes-vous ?

— Je suis la femme du frère de Kesley, avait répondu sèchement l'antipathique étrangère. Les femmes de chambre veulent faire le lit et remettre de l'ordre. Vous seriez donc aimable de libérer cet endroit aussi rapidement que possible...

— Mais, avait objecté Lee, reprenant ses esprits. Kesley et moi allons nous...

Elle avait buté sur le mot marier. Cependant, elle

23

était sûre que Kesley l'épouserait, après ce qui s'était passé la nuit précédente.

— Vous voulez dire marier ? avait ricané Dorothy. Si toutes les femmes qui ont espéré épouser Kesley m'avaient donné un dollar, je serais riche ! Vous ignorez donc que Kesley est déjà marié ?

Déjà marié... Ces mots étaient tombés comme un couperet sur le cœur de la jeune fille. Pendant quelques instants, elle était restée muette, paralysée par le choc. Enfin, elle avait réussi à se lever et à s'habiller. Elle était sortie de la chambre sans adresser un mot à Dorothy qui l'avait suivie des yeux, narquoise.

Un faible espoir avait soutenu Lee durant la journée. En fin d'après-midi, Kesley l'avait appelée au bureau.

— Que dirais-tu d'un dîner au restaurant, ce soir ? avait-il demandé d'une voix enjôleuse.

— Je dirais que ta femme est vraiment très compréhensive, avait répondu Lee d'une seule traite, maîtrisant les sanglots qui lui serraient la gorge. Mais peut-être ne la mets-tu pas au courant de tes aventures...

Le lourd silence qui était tombé sur la ligne correspondait à un aveu. Kesley n'avait même pas pris la peine de nier, il demanda simplement :

— Qui t'a mise au courant ?

— Quelle importance, désormais ? Je sais maintenant que je n'ai été qu'une des nombreuses aventures féminines que tu t'accordes durant tes voyages d'affaires...

— Non, Lee, avait-il protesté, tu te trompes. Laisse-moi au moins te voir une dernière fois et tout t'expliquer.

— Je n'ai besoin d'aucune explication, les choses ne sont que trop claires... Si j'avais su que tu étais marié, je ne t'aurais même pas accordé un regard ! Je ne veux plus jamais te revoir, ni te parler. Adieu, Kesley.

Sur ces mots, Lee avait coupé la communication et leur aventure s'était achevée ainsi, sur le déclic du téléphone. Quelques semaines plus tard, Lee s'était aperçue qu'elle attendait un enfant et Fletcher, mis au courant de la situation, avait offert de l'épouser. Personne à San Francisco n'avait jamais deviné le véritable motif de ce mariage. Le généreux Fletcher avait été mis en quarantaine par la plupart de ses amis et relations, choqués d'apprendre qu'il épousait sa secrétaire, de quarante ans plus jeune que lui. Oui, la nouvelle de cette union avait provoqué bien des remous dans les salons de la bonne société californienne. Chacun s'était interrogé sur l'inexplicable événement et avait évoqué le souvenir de la première Mme Whitney, si digne si distinguée...

En fait, Lee n'avait été vraiment acceptée par le tout San Francisco qu'au cours des deux dernières années. Celui-ci avait dû admettre, après une longue période d'observation, que la conduite de la jeune veuve était d'une discrétion exemplaire... Mais Lee ne se berçait pas d'illusions. Elle savait que ce soudain revirement était surtout motivé par ses succès de femme d'affaires. On la respectait, on l'admettait dans les cercles les plus fermés, mais elle n'avait pas vraiment d'amis.

Après la représentation, Lee et Maitland s'attardèrent dans le hall de l'Opéra pour saluer les diverses personnalités qu'ils connaissaient. Lee souriait, serrait les mains qu'on lui tendait, impatiente d'en finir avec ces mondanités.

— Je crois que nous pouvons nous éclipser, à présent, murmura Maitland à son oreille. Les Willoughby nous ont invités à leur réception.

— Je n'ai pas envie d'y aller, répondit Lee. Je rentre à la maison...

— A la maison ? s'exclama Maitland, incrédule. Mais, Lee, protesta-t-il, des gens très importants sont invités à cette soirée... Des personnes qui peuvent nous être utiles !

— Eh bien, allez-y sans moi, coupa Lee avec impatience. Je prendrai un taxi pour rentrer.

— Un taxi ! Mais vous n'y pensez pas ! C'est moi qui vais vous raccompagner.

Quelques minutes plus tard, Maitland déposait Lee au seuil de la résidence Whitney. Il était visiblement dépité et prit congé rapidement. Lee devina qu'il se rendrait seul à la réception des Willoughby. Maitland ne perdait jamais une occasion d'établir de nouveaux contacts avec les industriels et les commerçants de San Francisco. Elle appréciait son enthousiasme, son sérieux, et elle admettait ne plus pouvoir se passer de sa collaboration. Mais de là à le prendre pour époux, comme on le chuchotait déjà autour d'eux, il y avait un grand pas et elle n'était pas sûre de vouloir le franchir...

2

Le petit avion privé, peint aux couleurs de la compagnie Roberts, avait décollé quelques instants plus tôt de l'aéroport de Seattle et se dirigeait à présent vers l'archipel du Golfe, situé au large des côtes de la Colombie britannique. Bercée par le doux ronronnement des réacteurs, Lee appuya son front contre la vitre du hublot et se perdit dans la contemplation de l'immensité bleu marine qui s'étendait sous eux. Une petite île passait occasionnellement dans son champ de vision et, malgré l'altitude, elle discernait les vagues écumeuses battant les plages désertes, et de petits cottages isolés se détachant du vert sombre des arbres. Qui habitait dans ces petites îles ? Des pêcheurs, sans doute, réfléchit-elle. En plissant les yeux, elle remarqua que certaines parcelles de terrain semblaient culti-vées et clôturées. Curieuse, elle interrogea le pilote.

— Oui, la renseigna-t-il, certaines de ces îles sont exploitées par des fermiers. Ils doivent protéger leurs champs par des clôtures barbelées car les troupeaux de biches, très nombreuses dans les forêts, ravageraient les cultures.

Quelques instants plus tard, il annonça à Lee qu'ils arrivaient à destination et prépara l'avion à atterrir en lui faisant perdre de l'altitude. Un groupe d'îlots apparut sous la coque de l'appareil. L'un d'eux devait être Madrona, songea Lee, mais elle se retint de questionner le pilote. Elle prit une grande inspiration et ferma les yeux. Le dénouement était proche à présent... Kesley l'attendrait-il à l'aéroport ? Elle espérait bien que non. Elle ne voulait aucun témoin pour sa confrontation finale et décisive avec celui qu'elle désirait détruire, humilier... A moins, songea-t-elle en mettant une paire de lunettes noires, que ce témoin soit la femme de Kesley... Sa présence rendrait la vengeance de Lee plus savoureuse encore...

Le souhait de la jeune femme fut exaucé. Aucune silhouette familière ne se tenait dans le hall du petit aéroport. Seul un employé de la compagnie Roberts vint à sa rencontre et la guida jusqu'à la voiture qui devait les mener à l'embarcadère. La vedette de M. Roberts attendait, prête à appareiller, l'informa-t-il respectueusement. Le trajet ne dura que quelques minutes et Lee prit bientôt place sur le luxueux hors-bord bleu qui démarra dans une grande gerbe d'écume en direction de l'île de Madrona.

Lee en aperçut bientôt la masse sombre posée sur l'outremer de l'océan. Ses contours se précisaient au fil des secondes et la jeune femme put bientôt discerner les troncs des pins maritimes bordant la forêt qui descendait jusqu'à la plage. Le jeune pilote du bateau se tourna vers Lee en souriant, annonçant qu'ils allaient bientôt accoster. Elle lui rendit distraitement son sourire, préoccupée par le fait qui venait de surgir dans son esprit. La vedette était-elle ancrée de façon permanente dans l'île ou bien retournerait-elle, après avoir débarqué sa passagère, à sa base, dans une autre île ? Dans ce cas, comment Lee pourrait-elle effectuer le fracassant départ qu'elle envisageait, si elle n'avait pas à sa disposition une embarcation pour la reconduire à son point de départ ? Sans bateau, elle serait virtuellement une prisonnière... Et cela ne concordait pas du tout avec le rôle qu'elle allait jouer.

Lee fut distraite de ces irritantes considérations par la découverte du manoir qui s'offrit soudain à ses yeux. C'était une imposante mais gracieuse construction, située au faîte d'une petite colline. Une longue colonnade bordait la façade de briques brunes patinées. Mais le plus bel ornement de cette résidence était sans doute le splendide jardin qui dévalait la pente douce jusqu'à la plage et offrait aux yeux des visiteurs de l'île la multicolore ordonnance de ses parterres fleuris et de ses impeccables pelouses. Un pénible sentiment d'appréhension saisit Lee à la gorge tandis que le jeune marin manœuvrait adroitement la vedette pour la ranger le long de la jetée en bois. En levant les yeux vers le manoir, Lee aperçut une silhouette descendant les marches du porche et elle retint son souffle. Kesley, pensa-t-elle machinalement. Mais la silhouette se révéla bientôt être celle d'une femme d'un certain âge, vêtue d'une robe de cotonnade fleurie, et un soupir de soulagement lui échappa. Elle se réprimanda intérieurement pour cette irrésistible et enfantine frayeur. N'était-elle pas venue à Madrona dans le but d'affronter Kesley en personne ? Dans ce cas, pourquoi craindre une rencontre qui allait avoir lieu le jour même, qu'elle le veuille ou non ? Aidée du jeune marin, elle prit pied sur la jetée et attendit que la personne qu'elle avait vue du bateau arrive à son niveau. Celle-ci s'avança rapidement, un étonnement profond peint sur le visage, tandis qu'elle découvrait l'élégante silhouette de Lee, vêtue d'un tailleur de toile blanche et d'une blouse de soie bleue. Ses sourcils se froncèrent comme sous l'effet d'une grande surprise.

— Bonjour, dit-elle, essoufflée, en saluant Lee. Mais il me semble que nous attendions Mme Whitney. A-t-elle été empêchée ?

— Je suis Mme Whitney, répondit sèchement Lee.

Et, sans prendre garde à la confusion qui se répandait

sur le visage de son interlocutrice, elle se tourna vers le jeune homme.

— Mes bagages, s'il vous plaît, demanda-t-elle.

Comme mû par un ressort, il bondit dans le bateau et en sortit deux grandes valises qu'il posa devant la jeune femme.

Durant ces quelques instants, celle que Lee supposait être la gouvernante de la maison Roberts, avait surmonté sa surprise et sa confusion. Elle prit en main les opérations.

— Geoffrey, portez ces valises jusqu'à la maison, voulez-vous ? demanda-t-elle au jeune homme.

Puis elle précéda Lee à travers les jardins, expliquant chemin faisant pourquoi M. Roberts n'avait pu venir en personne accueillir son invitée à l'aéroport.

— M. Roberts en était très contrarié, poursuivit-elle d'une voix essoufflée par l'effort qu'elle faisait pour accorder son pas à la foulée énergique de Lee, mais il ne pouvait s'absenter, attendant un appel téléphonique de l'étranger.

— Je vois, fit Lee d'un ton narquois. L'autre invité de M. Roberts est-il arrivé ?

— L'autre invité ? s'étonna la brave femme, surprise.

Voyant que la jeune femme avait brusquement tourné la tête vers elle et fronçait les sourcils, elle reprit précipitamment :

— M. Roberts a dû oublier de m'avertir. Ce ne serait pas la première fois que cela se produit ! Mais c'est sans importance, les chambres d'amis ne manquent pas à Madrona.

Elle s'effaça pour que Lee puisse gravir les quelques marches qui menaient à la véranda. Entre chaque colonne étaient suspendus des paniers fleuris de géraniums, mais la jeune femme ne remarqua pas les gracieux bouquets. Elle ne pensait qu'à celui qui l'attendait, au cœur de cette maison, et pour qui elle s'était résolue à parcourir plus de mille kilomètres. Le seul fait de le savoir tout proche d'elle, après tant d'années, lui desséchait la gorge.

— A propos, je ne me suis pas encore présentée, s'excusa la gouvernante en faisant glisser une longue baie vitrée. Je suis Freda Gilbert.

Elles pénétrèrent dans un vaste salon faisant office de hall d'entrée. De larges et confortables fauteuils, recouverts de tissu imprimé, étaient disposés en cercle devant la baie vitrée qui révélait un splendide panorama sur l'océan. Les yeux de Lee s'attardèrent sur l'immense cheminée de pierre occupant la presque totalité d'un mur, de l'autre côté de la pièce. Une galerie de bois courait autour du salon, à la hauteur du premier étage, donnant accès aux pièces supérieures. On parvenait à cette galerie par un escalier situé à l'autre bout du hall.

— Voici le bureau de M. Roberts, annonça la gouvernante en désignant une porte close, mais il tient sans doute à vous faire visiter la maison lui-même. A présent, je vais vous conduire à votre chambre. Le thé sera servi dans une demi-heure, sur la terrasse. Cela vous convient-il ?

Lee murmura une vague approbation et suivit Freda dans les escaliers, étourdie par la vague d'émotions qui l'avait saisie à la pensée que Kesley n'était désormais séparé d'elle que par l'épaisseur d'une simple porte. Son trouble était si grand qu'elle trébucha sur une marche mais évita une chute en se retenant à l'imposante rampe de chêne sculpté. Heureusement, ni Freda, ni Geoffrey, qui les suivaient en portant les valises, ne le remarquèrent. Ils s'engagèrent ensuite dans un long corridor au bout duquel Freda poussa une porte.

— Voici vos appartements, annonça-t-elle en précédant Lee dans une somptueuse chambre, décorée avec goût dans les tons pêche et crème.

Freda n'ironisait pas, comme Lee l'avait cru tout

d'abord. Il s'agissait bien d'un appartement et non d'une simple chambre.

— Voici le salon, continua la gouvernante en poussant une autre porte. La vue sur la mer est magnifique du balcon.

Cette seconde pièce était aussi agréable et luxueuse que la première, avec ses murs et ses fauteuils recouverts d'une cretonne fleurie. Tout, dans le choix des couleurs et des harmonies invitait au calme, au repos. Et Freda n'avait pas exagéré. La vue offerte par les larges baies vitrées méritait le qualificatif d'exceptionnelle. Le bleu profond de l'océan ondulait jusqu'à l'horizon et malgré la légère brume de chaleur qui s'était levée, on distinguait au large les contours des îles voisines.

— Oui, c'est très beau, approuva distraitement Lee, décevant sans doute la brave gouvernante par sa visible indifférence.

En revenant dans la chambre, Lee posa enfin la question qui la préoccupait depuis son arrivée.

— Mme Roberts est-elle là en ce moment?

— Mme Roberts? renchérit Freda, étonnée. Non, elle est avec M. Paul, à Seattle. Ils viennent parfois à Madrona, expliqua-t-elle en lissant la courtepointe du lit, mais je crois que M. Paul n'aime pas beaucoup l'île, au fond.

— Je voulais dire Mme Kesley Roberts, précisa Lee d'un ton aussi détaché que possible en ouvrant une de ses valises.

Visiblement choquée, Freda la fixa sans répondre.

— Mais... dit-elle enfin, d'une voix hésitante. La femme de M. Kesley est morte, l'année dernière, dans un accident de voiture...

Un lourd silence suivit ces mots, tandis que Lee, abasourdie, essayait d'analyser le choc que lui avait causé cette nouvelle.

— Que s'est-il passé exactement? demanda-t-elle enfin, avalant avec peine sa salive.

— Eh bien, commença Freda après une longue hésitation, M. Kesley conduisait... Il s'était rendu avec Mme Kesley à une soirée et il pleuvait quand ils ont pris le chemin du retour. La voiture a dérapé et a quitté la route... Mme Kesley a été tuée sur le coup et M. Kesley est resté plusieurs jours dans le coma. Quand il est revenu à lui, il ne se souvenait absolument plus de l'accident... Ni de rien, d'ailleurs. Le choc l'avait rendu amnésique. Depuis, il s'est remis mais...

— Mais quoi? la pressa Lee, suspendue à ses lèvres.

— Eh bien, sa mémoire est encore chancelante, pour tout ce qui est antérieur à l'accident; il se rappelle certaines choses mais en a complètement oublié d'autres... Le docteur a dit que le traumatisme crânien qu'il a subi, à cause de l'accident, est responsable de cette amnésie.

Elle hocha la tête et soupira.

— Bien, reprit-elle, je vous laisse à présent. Le thé sera servi sur la terrasse, à gauche en sortant du salon.

Elle s'éclipsa. Après son départ, Lee se dirigea à pas lents vers la fenêtre et appuya son front contre la vitre, contemplant pensivement le moutonnement vert sombre de la forêt qui commençait dès la bordure des pelouses, et, au-delà, la surface paisible de l'océan. Cette île devait être sinistre, en hiver, pensa-t-elle soudain, quand les tempêtes battaient rageusement les rochers de la plage.

La jeune femme laissa son esprit vagabonder sur des sujets anodins. L'étrange quiétude qui l'avait envahie ressemblait au calme suivant l'explosion d'une bombe. Par ses révélations, Freda venait d'anéantir tout ce qui avait motivé son travail, sa lutte acharnée, pendant sept ans. Sciemment, elle entreprit de ranimer la haine qui fut à l'origine de chacun de ces actes depuis cette nuit passée avec Kesley dans l'anonymat d'une chambre d'hôtel.

Et, comme à chaque occasion où elle permettait à sa mémoire de revenir sur le passé, une rage froide s'empara d'elle. Sa main se crispa inconsciemment sur le rideau qu'elle tenait. Avec quelle facilité elle avait cédé à Kesley, cette nuit-là, se rappela-t-elle sombrement. Mais comment aurait-elle pu deviner, innocente et éprise comme elle l'était, qu'elle se donnait à un séducteur sans scrupules, un Don Juan de la pire espèce ? Quelle conquête facile elle avait été pour lui... Après leur brutale rupture, la honte avait tourmenté Lee, une honte terrible et brûlante, au souvenir des caresses qu'elle lui avait permises, des baisers rendus avec passion. Si, au moins, elle lui avait opposé quelque résistance, son tourment en aurait été allégé. Mais elle s'était littéralement jetée dans ses bras... Jamais auparavant Kesley n'avait dû trouver victime si consentante...

Et maintenant, après tant d'années, était-il possible que le sort ôte malicieusement de ses mains une vengeance si patiemment attendue ? Kesley pouvait-il vraiment avoir tout oublié du passé, jusqu'au visage de sa victime ?

Un léger bruit attira soudain son attention et elle se tourna brusquement vers l'intérieur de la pièce. La porte s'était ouverte, et une silhouette masculine se profilait dans l'encadrement. Elle reconnut immédiatement Kesley et le choc la fit pâlir. Le moment crucial du dénouement était arrivé... Malgré la violence du trouble qui l'avait saisie et paralysée, elle détailla avec attention l'homme qui se trouvait à quelques pas d'elle. Son regard s'attarda sur le visage de Kesley, cherchant inconsciemment les changements qui avaient pu intervenir au cours de ces sept années. Mais ses cheveux étaient toujours aussi noirs et bouclés, son menton possédait le même dessin ferme et décidé, exactement comme à l'époque où elle l'avait rencontré. Elle nota cependant qu'il avait perdu la minceur nerveuse de sa première jeunesse. Celle-ci avait fait place à une prestance virile, et la chemise blanche qu'il portait laissait deviner des épaules musclées, un corps ferme et souple, témoins probables d'une pratique régulière des sports. Il n'avait pas changé, et pourtant... Une transformation irréversible s'était effectuée en lui durant ces années, visible au pli dur qu'avaient pris ses lèvres, à l'assurance qui émanait de lui, à l'expression réservée de ses yeux noirs où, Lee le remarqua immédiatement, ne se jouait aucune surprise. Avait-il attaché si peu d'importance à leur aventure passée qu'il ne faisait aucun lien entre l'élégante jeune femme qui se tenait devant lui et la naïve adolescente conquise et séduite durant un voyage d'affaires, sept ans auparavant ? Bien sûr, elle avait beaucoup changé elle-même et s'était métamorphosée en une femme énergique et pleine d'assurance. Elle avait échangé ses juvéniles et modestes robes de coton contre des tailleurs d'une élégance irréprochable, et ses cheveux blond-roux, qu'elle laissait autrefois flotter librement sur ses épaules, étaient maintenant rassemblés dans un strict mais gracieux chignon. Ses cheveux qu'il avait dit tant aimer, en les enroulant autour de ses doigts, cette fameuse nuit... pensa-t-elle avec un pincement au cœur. Mais sans doute n'était-elle qu'une des nombreuses femmes auxquelles il avait débité le même compliment, entre deux baisers. Avait-elle donc tant changé pour que son visage n'éveille même pas chez lui l'écho d'un souvenir ? Ou bien se pouvait-il que les terrifiantes révélations de Freda soient vraies, qu'il ait perdu jusqu'au souvenir de ses traits dans l'accident de voiture dont il avait été victime ?

— Madame Whitney, je présume ? demanda enfin Kesley, rompant le silence.

Ces mots étaient plus une affirmation qu'une question et, après quelques secondes d'hésitation, Lee se décida à agir comme si, en effet, cette rencontre était la première.

— Oui, répondit-elle calmement. Et vous êtes sans doute monsieur Kesley Roberts?

Il inclina la tête en signe d'assentiment.

— Etes-vous satisfaite de votre appartement? demanda-t-il encore en faisant rapidement des yeux le tour de la confortable chambre avant de reporter son regard sur la jeune femme.

— Absolument, opina Lee. La vue est merveilleuse et... vous avez vraiment une très belle propriété, dit-elle précipitamment en serrant ses mains l'une contre l'autre pour réprimer leur incontrôlable tremblement.

— Parfait, je suis content qu'elle vous plaise. Etes-vous prête à descendre pour le thé? Si oui, je vais vous montrer le chemin. La maison n'est pas si grande mais nos visiteurs ont quelque peine à s'orienter, la première fois.

Et il s'écarta de l'encadrement de la porte où il était nonchalamment appuyé tendant la main vers le couloir, invitant ainsi Lee à le suivre.

— Oui, je... Je suis prête, merci, balbutia-t-elle pensant qu'elle n'avait même pas pris le temps de se laver les mains ou de rafraîchir son maquillage.

Le cœur battant, elle passa devant Kesley pour sortir de sa chambre et le suivit le long du corridor, restant derrière lui pour descendre les escaliers.

— Je suis désolé de n'avoir pu venir à l'aéroport vous accueillir, comme j'en avais l'intention, dit-il en la prenant légèrement par le coude pour la guider à travers l'immense salon, mais un problème a surgi, au bureau, et j'ai dû le régler personnellement.

A ce moment, Lee trébucha et faillit tomber, ce qu'elle aurait fait si Kesley ne l'avait pas vivement retenue. Son pied n'avait pourtant rencontré aucun obstacle sur le profond tapis mais la pleine réalisation d'un fait qu'elle avait tenté jusque-là d'ignorer l'avait frappée comme un coup de poing, lui faisant perdre l'équilibre. Si Kesley ne la reconnaissait pas, et il semblait vraiment ne pas se souvenir d'elle, alors son voyage à Madrona perdait tout son sens et son utilité. Son intention de l'humilier en face de son autre invité devenait ridicule et inconséquente puisqu'il en ignorerait la raison. La vengeance que Lee avait prévue se désintégrait d'elle-même en face de la réalité. Kesley n'en serait pas affecté puisque le passé ne pourrait plus jamais évoquer aucun remords en lui. Perplexe et préoccupée, Lee fronça les sourcils tandis que Kesley s'effaçait pour la laisser passer sur la large terrasse. Freda s'y trouvait encore, mettant la dernière touche à la préparation d'une table chargée de gourmandises les plus variées et d'un service complet à thé en argent.

— Merci, Freda, je vois que vous vous êtes surpassée, commenta Kesley avec ironie en avançant une chaise de fer forgé blanc pour Lee. Ceci devrait nous permettre de survivre jusqu'au dîner...

— Si vous désirez autre chose, répondit sans se démonter la gouvernante, vous savez où me trouver, monsieur Roberts.

Elle s'inclina légèrement et disparut par la baie coulissante qui s'ouvrait sur la salle à manger.

— Elle est anglaise, n'est-ce pas? demanda Lee cherchant désespérément à rendre son ton le plus léger possible.

— Qui en douterait? répondit Kesley en souriant, désignant d'un geste large la profusion de plats garnis qui chargeaient la table de jardin. Voyons un peu : sandwiches aux concombres, aux œufs et au cresson, petits fours, gâteaux, biscuits et, bien sûr, thé anglais, noir, comme il se doit! Je dois dire que je me suis pris d'affection pour cette charmante coutume anglaise du thé. Bien, continua-t-il en tendant la lourde théière à Lee, voulez-vous faire la « maman »?

Lee se tourna abruptement vers lui, interloquée. Non seulement elle ne comprenait pas ce qu'il voulait dire mais elle était profondément choquée par cette allusion, fortuite sans aucun doute de la part de Kesley, mais qui lui rappelait de douloureux souvenirs.

— Faire la « maman » est une amusante expression anglaise, expliqua-t-il précipitamment, voyant sans comprendre pourquoi, que Lee était bouleversée. Elle signifie : « se charger de verser le thé. »

— Je vois, répondit-elle brièvement en prenant des mains de son hôte la théière et en versant le liquide sombre et brûlant dans les charmantes tasses de porcelaine décorée de roses. J'aime le thé et, comme les Anglais, je l'aime fort, continua-t-elle légèrement, cherchant à dissiper l'imperceptible gêne qui s'était installée entre eux. Prenez-vous du lait et du sucre avec le vôtre ?

Il déclina l'offre.

— Et qu'est-il arrivé à votre autre invité ? continua-t-elle imperturbablement en saisissant un sucre avec les pinces disposées à cet effet sur le plateau. Je croyais qu'il se trouvait déjà là, mais je vois que ce n'est pas le cas.

— En effet, il devait arriver hier mais il a été retenu à Vancouver pour ses affaires pour quelques jours. Les affaires sont les affaires... Je suis sûr que vous le comprenez...

Les doigts de Lee se crispèrent brusquement sur l'anse de sa tasse. Une pensée folle venait de lui traverser l'esprit. Se serait-elle trompée ? Kesley l'avait peut-être, malgré son attitude prouvant le contraire, reconnue depuis longtemps ; avait-il organisé une véritable embuscade, l'attirant dans l'île de Madrona sous le prétexte de rencontrer une personne qui peut-être n'existait même pas ?...

— Quel est le nom de ce monsieur ? demanda-t-elle brusquement, décidée à vérifier son brusque soupçon.

— Harry Vendisi, répondit-il du tac au tac, comme s'il avait deviné ses doutes.

Il prit un sandwich et l'attaqua avec appétit, puis reporta ses yeux sur Lee, souriant malicieusement.

— Vous n'avez jamais entendu mentionner son nom ? Ce n'est pas étonnant, il est très discret et gère ses affaires, qui sont on ne peut plus variées, dans le plus grand secret...

Lee fronça les sourcils, étonnée et vaguement inquiète. Vendisi... C'était un nom italien et Kesley avait précisé qu'il n'aimait pas la publicité... Se pourrait-il que ce mystérieux invité fasse partie de la pègre, la Mafia plus précisément ? Non, cela était ridicule, on ne pouvait faire de telles déductions sur une personne dont on ne connaissait que le nom, même si ce nom avait une consonance sicilienne. Lee entendit soudain Kesley rire, et elle leva la tête vers lui, surprise...

— Je sais ce que vous pensez, fit-il gaiement. Eh bien, vous avez deviné... Harry Vendisi fait partie de ce que l'on appelle la Mafia. Dans quelles proportions ? Je l'ignore. Tout ce que je sais, c'est qu'il cherche à vendre une de ses sociétés et que la proposition est bien trop intéressante pour être négligée pour des raisons morales ; et stupides, si vous voulez mon avis...

— Mais, objecta Lee, indignée...

Elle se contrôla et, adressant un regard froid à Kesley qui l'observait, visiblement amusé, elle reprit :

— Il n'est pas dans mes habitudes de traiter avec des membres de la pègre, monsieur Roberts.

— Et pourquoi donc ? Dans le cas présent, la compagnie que Vendisi cherche à vendre est tout à fait « propre », dans le sens juridique du terme.

— Et pourquoi cherche-t-il donc à s'en débarrasser ?

— Parce qu'il a d'autres intérêts et ne veut plus perdre de temps à la gérer, expliqua Kesley en vidant sa tasse et en la tendant ensuite à Lee pour qu'elle la remplisse à nouveau. Soyez sans crainte, madame Whitney, continua-t-il d'un ton moqueur, vous ne serez pas tenue responsable des mauvaises actions de Harry Vendisi si vous achetez sa compagnie. Cette négociation sera tout à fait honnête et ne vous impliquera en rien, je vous le garantis.

Lee versa automatiquement le thé dans la tasse qu'il lui tendait et se servit également, mais elle était distraite et préoccupée. Malgré son expérience, elle n'avait jamais envisagé une telle situation auparavant, jamais elle n'avait eu à affronter une tractation avec un membre de la Mafia. Bien sûr, les affaires étaient les affaires et elle n'avait pas à prendre en compte le passé, sans doute sombre et mouvementé, de la personne avec laquelle elle allait engager des négociations ; mais elle ne pouvait s'empêcher d'être méfiante.

Devinant ses réticences, Kesley intervint :

— Attendez de rencontrer Vendisi avant de prendre une décision. Comme je vous l'ai dit, cette affaire est une occasion très intéressante et pourrait nous rapporter beaucoup...

Lee fronça les sourcils, irritée par la familiarité avec laquelle il liait leurs intérêts personnels.

— Je ne suis pas sûre d'être prête à attendre ici, les bras croisés, que M. Vendisi veuille bien arriver, dit-elle d'un ton hautain, observant avec une moue d'ennui les vastes pelouses qui s'étendaient devant eux. Madrona ne bouillonne pas particulièrement d'activité et de vie, n'est-ce pas...

— Non, admit Kesley, ignorant volontairement le sarcasme de son invitée. Mais quelques jours de vacances au soleil et au calme vous feraient sans doute le plus grand bien ! Vous pouvez nager dans la mer ou dans la piscine, derrière la maison. Il y a aussi le court de tennis, de badminton, de croquet, une salle de jeux avec un billard et des tables de ping-pong. En bref, beaucoup de choses pour vous occuper et vous distraire. Depuis quand n'avez-vous pas pris de vacances ? demanda-t-il soudain.

— Des vacances ? répéta Lee, estomaquée. Je... je n'ai pas de temps à perdre, monsieur Roberts, et je n'ai jamais aimé l'oisiveté de toute façon. Les entreprises Whitney auraient depuis longtemps fait faillite si je passais mes journées à nager ou à jouer au tennis, comme le suggérez...

— Voyons, je ne parlais pas de négligence mais de repos occasionnel, rétorqua-t-il, visiblement irrité. Chacun doit s'éloigner de son travail et de ses préoccupations journalières, de temps en temps. Des vacances sont aussi l'occasion de repartir d'un bon pied, avec une moisson d'idées nouvelles et l'énergie de les mettre en pratique...

— Je me suis parfaitement débrouillée jusqu'ici sans recourir aux vacances que vous mentionnez, coupa sèchement Lee. Les entreprises Whitney ont quadruplé leurs bénéfices depuis que j'en suis la présidente et je suis sûre que nos financiers ne m'en veulent pas de ne pas savoir jouer au tennis ou de n'être pas bronzée à nos réunions !

Kesley lui jeta un regard perçant et garda le silence pendant quelques instants.

— Vous êtes bien jeune pour tenir sur vos épaules la responsabilité d'une entreprise si importante, dit-il enfin, d'un ton pensif. Votre mari était beaucoup plus âgé que vous, n'est-ce pas ?

Lee fut tenter de lui rétorquer qu'il connaissait mieux que personne l'âge de Fletcher au moment où celui-ci s'était remarié, mais elle se mordit les lèvres pour s'empêcher de parler. Après tout, si Kesley ne se souvenait plus d'elle, peut-être avait-il également oublié le vieil homme et les innombrables entrevues qu'il avait eues avec lui à propos de la Frantung.

— Je ne vois pas pourquoi vous me posez cette

question, répondit-elle froidement. Quelle importance ?

Mais Kesley ne se démonta pas et demanda encore :

— Pourquoi avez-vous épousé un homme tellement plus âgé que vous ?

Lee faillit s'étrangler avec une bouchée du sandwich qu'elle était en train de manger.

— Mais pour son argent, voyons ! railla-t-elle amèrement. Je suppose que vous ne croyez pas, pas plus que les amis et les associés de Fletcher à l'époque de notre mariage, que j'ai pu l'épouser par amour...

— Est-ce vrai ? Je veux dire, est-ce vrai que vous l'aimiez ? insista Kesley.

— Je vous trouve bien indiscret, monsieur Roberts... Mais puisque vous semblez si curieux, je vous répondrai que oui, j'aimais Fletcher. Il est mort il y a cinq ans mais il me manque toujours autant... Tout comme votre femme doit vous manquer, j'en suis sûre...

Elle avait ajouté cette dernière phrase dans un désir pervers de voir sa réaction. Et si elle avait espéré inconsciemment le blesser, son attente ne fut pas déçue, car une lueur de douleur authentique traversa le regard de Kesley. Mais au lieu de la réjouir, cette manifestation d'un profond chagrin la déprima soudain.

— Je vois que Freda vous a mise au courant du décès de Susan, dit-il enfin en se levant. Voulez-vous que je vous fasse visiter la maison à présent ? Cela ne prendra pas longtemps. Vous devez être fatiguée de votre voyage.

— Oui, un peu, admit-elle en se levant à son tour, mais j'ai envie de visiter la maison. Dans quel style est-elle bâtie ?

— Dans aucun style particulier, à vrai dire, répondit-il d'un ton distant. La maison était déjà construite quand j'ai acheté l'île, il y a quelques années. Le précédent propriétaire était un riche industriel canadien et il avait l'intention de s'y installer en permanence. Mais sa femme est morte subitement, juste avant leur déménagement, et il l'a revendue sans y être jamais revenu.

— Et c'est lui qui s'est chargé de l'ameublement? demanda Lee en détaillant le mobilier de la salle à manger où ils venaient d'entrer.

Malgré son inexpérience en matière d'antiquité, elle devinait que l'immense table de chêne sculpté et les chaises couvertes de cuir rouge l'entourant n'étaient pas de simples copies mais de véritables objets de collection, patinés et embellis par le temps.

— Non, c'est moi qui l'ai meublée.

Cette réponse étonna Lee et son étonnement grandit quand ils passèrent dans le salon, puis dans un petit boudoir. Elle n'aurait jamais pensé que Kesley possédait tant de goût en matière de décoration. Bien que les différentes pièces soient meublées chacune dans des styles divers, l'ensemble donnait une impression de superbe harmonie. Dans le boudoir, par exemple, de petits fauteuils crapaud de la belle époque s'accordaient parfaitement avec la table et les chaises campagnardes, sculptées de motifs floraux. Cette petite pièce, avec ses rideaux de cretonne fleurie, évoquait une présence féminine.

— Votre femme a dû s'occuper de la décoration de ce boudoir, remarqua Lee impulsivement, malgré, ou peut-être à cause de l'émotion qu'elle avait remarquée plus tôt chez lui à la simple mention de son épouse disparue.

— Non, la détrompa-t-il en tournant les talons et en se dirigeant vers la porte, elle n'est jamais venue à Madrona. Susan était très mondaine, elle aimait être entourée et le calme de l'île ne l'attirait absolument pas.

Une inexplicable satisfaction envahit Lee à ces mots, mais elle n'eut pas le temps de se livrer à une analyse de cet étrange sentiment, car Kesley l'entraînait vers une autre aile de la maison. Ils visitèrent toutes les pièces du rez-de-chaussée, n'omettant que l'immense cuisine où Freda s'activait à préparer le repas du soir, et Lee éprouva un léger choc en pénétrant dans le bureau du maître de maison. L'aménagement en était d'une simplicité presque monacale. Ils passèrent ensuite aux chambres du premier étage et elle remarqua que celle qui lui avait été attribuée était de loin la plus spacieuse et la plus confortable. Enfin, ils terminèrent leur visite et elle se retira dans la solitude de son appartement.

Elle ôta son tailleur et passa un peignoir avant de s'allonger sur le sofa, devant la fenêtre du salon, cherchant à ordonner la confusion qui régnait dans son esprit depuis qu'elle avait revu Kesley. Parmi le désordre de ses pensées et de ses émotions, elle ne réussit à discerner qu'une chose : en revoyant Kesley, la haine qui l'avait tourmentée pendant si longtemps s'était évaporée comme la rosée au soleil. Et jamais elle n'aurait pu imaginer ce singulier retournement de ses sentiments... Après sept ans de séparation, elle était obligée d'admettre que Kesley possédait, par sa seule présence physique, le même ascendant sur elle qu'autrefois. Cet après-midi, en observant ses longues mains brunes saisissant la théière, elle n'avait pu s'empêcher de penser avec un frisson que c'étaient ces mêmes mains qui l'avaient caressée, une nuit... Et sa bouche aux lèvres fines était bien celle qui lui avait fait oublier, en quelques baisers, les préceptes d'une morale pourtant fermement enracinée en elle depuis sa plus tendre enfance.

Le terrible désir de vengeance qui l'avait soutenue durant toutes ces années avait aussi disparu mystérieusement, et elle se retrouvait à présent sans ce support familier qui lui avait permis de vaincre tous les obstacles et de devenir riche et respectée. Certes, ce que Kesley lui avait fait subir était et restait impardonnable, mais comment pouvait-on en vouloir à un homme qui ne se souvenait ni de ses fautes, ni de leur victime ? Et maintenant, elle se retrouvait prisonnière à Madrona, obligée de jouer jusqu'au bout la comédie qu'elle avait elle-même commencé à jouer en se déclarant intéressée par les offres d'un certain M. Vendisi.

Pensive, Lee contempla l'horizon embrasé par le coucher du soleil et, glissa, sans même s'en rendre compte, dans un sommeil lourd et troublé.

3

Lee se réveilla en sursaut quand Freda entra dans le salon et alluma la lumière, annonçant que le dîner serait servi dans une demi-heure. Irritée de s'être ainsi laissé surprendre par le sommeil, Lee se précipita dans la salle de bains et prit une douche rapide. Puis elle passa en revue les toilettes qu'elle avait apportées et que Freda avait déjà suspendues dans la garde-robe. Après quelques secondes d'hésitation, elle choisit une simple mais élégante robe courte de soie noire. Après tout, elle ne devait se préparer que pour un simple repas et le seul participant serait son hôte, Kesley. Une robe du soir aurait semblé déplacée. Elle sélectionna dans son coffre à bijoux un collier et des boucles d'oreilles en diamant assortis et, après un dernier coup d'œil à son miroir, se dirigea vers la porte et sortit.

Quand elle pénétra dans le salon, Kesley s'y trouvait déjà. Il se tenait debout devant la cheminée, tournant le dos à la porte ; il n'entendit pas Lee entrer. Il avait échangé ses vêtements sportifs et décontractés de l'après-midi contre un complet sombre et de coupe excellente.

— Excusez-moi d'être en retard, se décida-t-elle enfin à dire, voyant qu'il ne remarquait pas sa présence. Je me suis endormie malgré moi, et Freda a dû me réveiller, il y a quelques minutes. Le voyage m'a plus fatiguée que je ne l'aurais cru.

Il se retourna brusquement quand elle commença à parler et une lueur d'admiration fit place à la surprise dans ses yeux. Sans mot dire, il détailla la jeune femme de la tête aux pieds, avec une tranquille impudeur qui la fit frissonner. Il lui semblait que les yeux de Kesley s'arrêtaient tout particulièrement sur ses épaules dénudées et sur son discret décolleté, avant de descendre sur ses longues jambes fines. Enfin, il rencontra son regard et dit doucement :

— Ne vous excusez pas, vous n'êtes pas en retard.

D'un geste large, il l'invita à s'asseoir sur le canapé qui se trouvait devant la cheminée.

— Que puis-je vous offrir comme apéritif ? demanda-t-il.

— Eh bien, je prends toujours un cocktail avant le dîner mais je crois que ce soir, je vais plutôt boire un Sherry, sec, s'il vous plaît, décida-t-elle en s'asseyant le plus loin possible de lui, à l'extrême bout du confortable sofa.

— C'est étrange, remarqua Kesley en se dirigeant vers le bar, je vous imaginais comme une personne aimant les liqueurs douces, ou les jus de fruit.

La bouche de Lee prit un pli amer. Il était vrai qu'à dix-huit ans, ses goûts la portaient vers les saveurs douces. Mais, à l'époque, n'était-elle pas toute douceur elle-même ?

— Non, je préfère les boissons fortes, ou amères, dit-elle sèchement, irritée de l'incontrôlable nervosité qui la reprenait dans ses griffes.

Elle inclina la tête en signe de remerciement quand il lui tendit son verre de cristal taillé, et but une gorgée. Au lieu de retourner à la place qu'il occupait auparavant devant la cheminée, il s'installa à l'autre extrémité du sofa où était assise Lee, et s'appuya confortablement contre les coussins, posant son bras sur le dossier, dans une attitude détendue. Tout en buvant lentement son apéritif, il observait Lee d'un air pensif.

— Savez-vous que vous m'intriguez ? dit-il soudain, rompant le silence qui s'était installé entre eux. Vous avez épousé un homme trois fois plus âgé que vous, et, depuis sa mort, vous vous êtes révélée une administratrice beaucoup plus compétente et astucieuse qu'il ne l'a jamais été de son vivant. J'ai rencontré beaucoup de ses anciens associés ou clients, et ils m'ont tous avoué qu'il n'aurait jamais été capable de faire ce que vous avez réalisé pour les entreprises Whitney. A présent, votre compagnie est en plein essor, vous avez des intérêts financiers dans presque toutes les branches de l'industrie et du commerce, mais je vous vois mélancolique et sans entrain... N'avez-vous jamais pensé à vous remarier ?

— Et vous ? rétorqua Lee, piquée au vif.

— Moi ? répondit-il calmement, soutenant le regard glacial dont Lee le fixait. Oui, j'y ai souvent pensé. Je ne suis pas fait pour la vie de célibataire...

A ces mots, Lee éprouva un brusque pincement au cœur et baissa les yeux. Ce n'était pas la jalousie qui la faisait soudain souffrir, mais le fait que Kesley envisageait une nouvelle union, un nouvel amour, alors qu'elle-même se savait incapable d'être heureuse avec un homme depuis leur triste aventure. La terrible déception qu'elle avait éprouvée avait détruit en elle toute confiance, toute chaleur, et en un éclair elle regretta de n'avoir jamais connu la joie d'un amour sincère et partagé. Kesley avait bel et bien ruiné sa vie...

— Et qui sera l'heureuse élue ? railla-t-elle en reportant son regard sur lui.

— A vrai dire, je ne le sais pas encore, répondit-il.

— Pourtant, vous ne devez avoir que l'embarras du choix, remarqua-t-elle sarcastiquement, sans chercher à atténuer le mépris qui perçait sous sa voix.

— Pas vraiment, répondit-il d'un ton amusé. Du moins, pas si l'on en croit cet adage selon lequel il existe pour chacun d'entre nous un compagnon idéal et prédestiné... Mais il faut accepter d'être patient...

— Et vous le croyez? s'irrita-t-elle. J'espère que vous n'appliquez pas cette manière fataliste de penser à vos affaires! Pour ma part, je ne crois pas à cet adage. En toute chose, il vaut mieux faire confiance à la raison qu'au hasard et au temps.

Un sourire dubitatif se joua sur les lèvres de Kesley mais il n'ajouta rien et se leva, prenant au passage le verre vide de Lee sur la table.

— Laissez-moi vous resservir, dit-il tout en se dirigeant vers le bar d'un pas souple.

Lee ne put s'empêcher de le suivre du regard et d'admirer l'élégance de sa démarche, la finesse de ses longues mains, alors qu'il saisissait une bouteille d'alcool sur une étagère. Malgré toutes ses réticences, elle devait admettre que Kesley Roberts était vraiment un homme très séduisant. Elle ne se trompait certainement pas en pensant que des légions de femmes de tous âges devaient le poursuivre assidûment. Son charme était indéniable et, après tout, elle-même ne lui avait-elle pas cédé sans un murmure de protestation, bien des années auparavant, même si à l'époque il ne possédait pas encore l'assurance et l'autorité de la maturité?

A ce moment-là, il se détourna du bar et rencontra son regard posé sur lui. A sa grande confusion, Lee sentit que ses joues s'empourpraient. Avait-il deviné ses pensées? Si oui, il devait à présent croire qu'elle avait été capturée par son charme, comme toutes les autres... Et, pendant quelques secondes, elle se prit à désirer qu'il la traite comme une conquête possible. Elle pourrait ainsi feindre de flirter avec lui, de plus en plus outrageusement, avant de le repousser froidement, au dernier moment... La surprise et la colère de Kesley quand elle le congédierait serait un baume sur son cœur, une délicieuse revanche... Mais elle repoussa cette idée car le jeu serait dangereux. Kesley avait sans doute une grande expérience de la séduction et elle-même n'en possédait point. Son désavantage serait certain et elle avait appris à ne jamais s'engager dans une transaction, sur le plan des affaires comme dans la vie quotidienne, avant d'être sûre que la balance pencherait en sa faveur.

— Vous n'avez pas encore répondu à ma question, lui dit Kesley.

— Quelle question ?

— Avez-vous pensé à vous remarier ?

— Je ne suis pas venue ici pour parler de ma vie privée, monsieur Roberts, rétorqua-t-elle en fronçant les sourcils. Et, d'autre part, je ne vois pas en quoi mon remariage éventuel peut vous intéresser.

— En rien, c'est vrai, concéda-t-il nonchalamment. Mais nous allons être ensemble pendant deux semaines et nous ne pourrons pas toujours parler affaires, cela deviendrait ennuyeux. D'ailleurs, je n'ai jamais envie de parler affaires quand je me trouve en compagnie d'une jolie femme...

— Merci pour votre compliment, répondit-elle d'un ton sarcastique, mais si cela est vrai, vous auriez dû demander à mon assistant, M. Frasier, de venir à ma place.

Il la fixa d'un air songeur. Lee se demanda s'il avait saisi dans ces mots une quelconque allusion.

— Frasier ? Maitland Frasier ? s'enquit-il. J'ai en effet entendu parler de lui à San Francisco. Apparemment, c'est votre homme de confiance, le numéro deux des entreprises Whitney. Avez-vous songé à en faire le numéro deux maritalement parlant ?

Choquée, Lee le fixa sans répondre et fut grandement soulagée quand Freda entra dans le salon à ce moment précis, lui épargnant de s'expliquer.

— Monsieur Roberts, j'ai dressé la table dans le

petit salon, annonça la gouvernante, puisque vous n'êtes que deux ce soir.

— Parfait. Le dîner est-il prêt maintenant?

— Oui, Monsieur Roberts.

— Nous arrivons. Merci, Freda.

Kesley finit rapidement son verre et le posa sur la table de verre avant d'offrir poliment sa main à Lee. Elle frémit en sentant ses doigts chauds sur sa peau et les repoussa instinctivement dès qu'elle fut levée. Il n'avait pu ne pas remarquer son recul mais il ne réagit pas, et, glissant sa main sous son coude, il la guida jusqu'au petit salon contigu.

— Ne pensez-vous pas que nous pourrions être moins conventionnels et nous dispenser de ces M. Roberts et Mme Whitney? demanda-t-il en avançant une chaise pour Lee.

La table avait été dressée auprès de la fenêtre et l'on pouvait apercevoir à travers la vitre le scintillement de quelques lumières isolées sur l'île voisine, dans le lointain.

— Vous connaissez mon prénom, continua-t-il, mais jusqu'ici, je ne vous ai entendue appeler que Mme Fletcher Whitney. Vous devez avoir un nom bien à vous!

— Evidemment, répondit-elle, irritée. Les femmes n'attendent pas d'être mariées pour en avoir un... Je m'appelle...

Elle s'interrompit, hésitante. Le son de son prénom réveillerait-il un écho dans son esprit?

— Ne dites rien, laissez-moi deviner! l'arrêta-t-il.

Il l'observa longuement tandis que Freda leur servait la salade de crevettes qui constituait l'entrée. Embarrassée par le regard scrutateur de Kesley, Lee prit sa fourchette et commença à manger.

— Hélène, dit-il enfin, voilà, j'ai trouvé. Un prénom beau et froid, comme vous.

Lee se sentit profondément blessée de cette description et elle avala avec difficulté une bouchée de salade.

Avec désespoir, elle se rappela comment il avait murmuré inlassablement son nom, d'une voix tendre, cette nuit-là...

— Vous vous trompez, réussit-elle enfin à dire.

Il leva les sourcils d'un air moqueur.

— Sur quoi? demanda-t-il. Sur votre nom ou sur votre froideur?

— Je n'ai pas l'intention de discuter de ma prétendue froideur avec vous, monsieur Roberts. Vous pensez sans doute être un excellent juge du caractère des femmes et je ne chercherai pas à vous détromper, rétorqua-t-elle, acide. Revenons-en à mon prénom. Je m'appelle Lee.

Elle prononça ces derniers mots d'un air résolu, souhaitant presque que la mémoire lui revienne brusquement. Ainsi, elle pourrait abréger son séjour à Madrona et s'en aller. La pensée des deux semaines qui s'étendaient devant elle la décourageait à présent.

— Lee? interrogea-t-il. Et comment l'épelez-vous? Avec deux e?

— L-e-e, épela-t-elle sèchement.

Le nom ne semblait visiblement éveiller aucun souvenir pour lui. Pendant quelques instants, il resta silencieux, fixant la nourriture posée sur son assiette, puis il reprit sentencieusement :

— A vrai dire, ce nom aussi évoque la froideur. Mais disons que c'est une froideur moins grave, moins irrémédiable.

— Pourrions-nous parler d'autre chose? intervint Lee, excédée. Ceci devient ridicule.

— Et quel sujet préféreriez-vous? demanda-t-il. Voulez-vous que je vous questionne sur la compagnie Frantung?

— Oui, par exemple. Ce serait plus constructif que d'étudier mon caractère. Je suis ici pour affaires, au cas où vous l'auriez oublié...

— Entendu, madame Whitney, parlons affaires!

Et, jusqu'à ce que Freda apporte le café à la fin du repas, il s'obstina à ne parler que d'affaires, sans prendre la plus courte pause, étudiant tous les aspects de l'exploitation de la compagnie Frantung. Lee sentit qu'elle était sur le point de hurler d'exaspération et essaya de ne plus écouter le flot constant de statistiques et de chiffres qui partait de l'autre bout de la table. De toute évidence, Kesley avait soigneusement étudié le dossier Frantung avant son arrivée. Elle profita d'un court silence pour dire d'un ton las :

— Toutes les informations se trouvent dans mon attaché-case. Si vous n'y voyez pas d'inconvénients, je préférerais que nous les étudiions demain matin.

Elle étouffa discrètement de sa main un irrépressible bâillement et s'irrita de la lourdeur qui pesait sur ses paupières. Le responsable de cette soudaine torpeur était sans doute le vin, car Kesley, entre deux monologues, avait veillé à remplir continuellement le verre de son invitée.

— Si vous voulez bien m'excuser, continua-t-elle, je vais me retirer maintenant. Je me sens un peu fatiguée.

En d'autres circonstances, l'expression de déception presque enfantine qui se peignit sur les traits de Kesley l'aurait fait sourire.

— Mais il est seulement neuf heures et demie, objecta-t-il. Je pensais que nous aurions pu faire une partie de billard avant d'aller nous coucher.

— Je ne sais pas jouer au billard.

— Eh bien, il est temps d'apprendre! décida-t-il d'un ton sans réplique en se levant.

Il lui tendit une main pour l'aider à se lever.

— Je vous donne votre première leçon ce soir et vous serez une vraie championne le jour où vous partirez!

Trop fatiguée pour résister, Lee se laissa entraîner le long d'un corridor sombre jusqu'à une volée de marches qui menaient au sous-sol.

Kesley pressa un interrupteur et une immense pièce s'offrit à leurs yeux sous une lumière éblouissante. Voilà pourquoi il est si musclé, songea Lee en découvrant les équipements sportifs les plus divers éparpillés aux quatre coins de la salle. Elle compta un cheval d'arçon, un trapèze, une machine à ramer et une bicyclette d'appartement s'ajoutant à une table de ping-pong et, bien sûr, à la place d'honneur, la grande table de billard. Kesley passa son bras autour de ses épaules et l'amena jusqu'à celle-ci. Puis il sélectionna deux cannes dans le râtelier fixé au mur et lui en tendit une.

— Le principe du jeu, expliqua-t-il, est de pousser la balle blanche avec votre canne de manière à...

— Faire tomber les boules colorées dans les trous, compléta-t-elle d'un ton las, ne cachant pas l'ennui que lui inspirait l'idée de chasser des boules blanches ou colorées autour d'un tapis vert.

— Ce n'est pas aussi simple que cela, remarqua sèchement Kesley en se préparant à frapper la blanche du bout de sa canne.

Lee suivit d'un regard morne les boules qui s'éparpillaient sur le tapis. Kesley tenta un autre coup, puis un autre. Un silence profond régnait dans la salle, entrecoupé seulement du choc des boules se heurtant. L'ennui de Lee grandissait intolérablement et elle ne put réprimer un long bâillement. Kesley le remarqua et posa sa canne dans le râtelier avant de s'approcher d'elle.

— A vous maintenant, ordonna-t-il en prenant fermement le bras de Lee. Jouer est plus intéressant que regarder.

— Non, merci, je ne joue pas refusa-t-elle en se raidissant à son contact. Je ne vois pas l'utilité de poursuivre des boules, que ce soit sur une table de billard ou sur un court de golf.

— Et pourquoi tout devrait-il avoir une quelconque utilité? murmura-t-il en se rapprochant encore d'elle. Il y a un temps pour chaque chose, un temps pour travailler et... un temps pour s'amuser...

Sa main glissa autour de la taille de Lee qui ne bougea pas, paralysée. Aucun doute n'était plus permis, il lui faisait bel et bien des avances.

— Je ne serais pas parvenue au point où j'en suis aujourd'hui, professionnellement parlant, si j'avais passé mon temps à m'amuser, monsieur Roberts, répondit-elle en posant sa canne sur la table de billard et en se tournant pour lui faire face.

Elle s'aperçut avec irritation qu'elle se trouvait à présent prisonnière entre lui et le rebord de la table contre lequel elle s'appuyait.

— Je sais, mais cela a laissé des traces, remarqua-t-il à voix basse en caressant des yeux le visage tout proche de Lee.

Il leva la main et, d'un doigt léger, suivit les imperceptibles lignes qui barraient le front de la jeune femme, poursuivant son exploration en caressant ses lèvres obstinément pincées et la peau satinée de ses joues. Lee le considérait, immobile, indifférente au regard langoureux dont il la couvait et à sa légère caresse. Et pourtant, autrefois, le simple contact de ses doigts la faisait frémir et pâlir d'émotion...

— Vous êtes jeune et très belle, Lee, murmura-t-il. Des centaines d'hommes doivent vous faire la cour... Mais vous êtes froide et indifférente. Pourquoi, Lee ? Quelqu'un vous a fait souffrir, n'est-ce pas ?

Elle eut envie de lui éclater de rire au visage et de lui crier que, oui, elle avait été blessée, par lui !... Et par une incroyable ironie du sort, c'était lui qui demandait des explications, lui, alors qu'il était responsable de cette souffrance ! Mais une étrange torpeur l'envahissait sous le regard scrutateur de Kesley et, d'autre part, elle avait appris à maîtriser ses émotions durant ces sept années ; aussi ne dit-elle rien.

— Vous avez de si beaux cheveux, continua-t-il sans élever la voix, pourquoi les emprisonnez-vous ainsi ?

Et, d'un geste décidé, il passa sa main dans le cou de Lee et commença à ôter les épingles qui maintenaient son chignon.

— Non, cria-t-elle en essayant de repousser sa main.

Mais il était trop tard. Déjà, ses cheveux auréolaient en une soyeuse cascade ses épaules dénudées. Kesley laissa échapper une exclamation d'admiration.

— Mais pourquoi les cachez-vous ? murmura-t-il avec une intonation de respect presque religieux, emmêlant ses doigts aux longues boucles. Mon Dieu, vous êtes encore plus belle que je ne me l'imaginais...

Et, d'un geste brusque, il prit Lee dans ses bras et l'embrassa. Elle se laissa faire, privée de vie et de mouvement. Elle ne songeait même pas à se débattre. Son esprit enregistrait avec indifférence ce qui se passait, mais il lui semblait être absente de tout, détachée. Elle sentait pourtant les lèvres chaudes de Kesley cherchant à séparer les siennes, son souffle chaud sur sa joue et le battement de son cœur sous la main qu'elle avait machinalement appuyée contre son torse musclé. Mais rien de tout cela ne la troublait.

Kesley comprit enfin que Lee ne répondait pas à son baiser. Lentement, ses mains remontèrent de sa taille qu'il serrait et se posèrent sur ses épaules. Il se détacha d'elle et la contempla. Lee remarqua avec indifférence que ses yeux sombres avait pris un dangereux éclat.

— Vous ne vivez vraiment que pour les entreprises Whitney, n'est-ce pas ? fulmina-t-il en reculant d'un pas. Seuls les chiffres et les bilans doivent pouvoir vous faire frémir !

Sans se décontenancer, Lee réajusta sur son épaule la bretelle de sa robe et fit quelques pas.

— Le monde des affaires a bien changé, commença-t-elle, narquoise. Mais peut-être l'ignorez-vous encore, monsieur Roberts. Le temps est loin où l'on consommait les marchés sur le sofa d'un bureau... La seule manière efficace pour vous d'acquérir la Frantung est de proposer un prix plus élevé que vos concurrents.

— Je me moque de la Frantung, explosa-t-il, le visage convulsé de rage, ce qui m'intéresse est...

— La compagnie de M. Vendisi? suggéra Lee d'un ton mielleux en se dirigeant vers les escaliers. Nous en reparlerons quand ce monsieur sera ici, voulez-vous?

Kesley ne fit pas un geste pour la suivre et elle remonta seule jusqu'au premier étage, baigné de silence. Elle était déjà confortablement installée dans son lit quand elle entendit une porte se refermer doucement de l'autre côté du corridor. Il était étrange de penser que Kesley se préparait pour la nuit à quelques mètres à peine d'elle. Peut-être ruminait-il son échec? Un sourire satisfait se joua sur les lèvres de Lee. Il avait sans doute cru qu'en acceptant son invitation à séjourner sur l'île de Madrona, elle consentirait également à une rapide aventure sentimentale avec lui. Eh bien, il s'était trompé et devait remâcher son humiliation à l'heure qu'il était. Peu de femmes lui avaient sans doute résisté par le passé pour qu'il puisse croire que Lee tomberait dans ses bras à la première avance. Elle savait à présent qu'elle n'avait pas à craindre de retomber sous le charme de Kesley. Sa totale inertie, quand il l'avait embrassée ce soir-là, avait prouvé qu'elle restait insensible à ses caresses. Le désert sentimental dans lequel elle s'était confinée durant toutes ces années avait réussi à endormir ses désirs et même un homme aussi séduisant que Kesley ne pouvait les réveiller. Mais il reviendrait à la charge, sans nul doute, éperonné par l'humiliation qu'elle lui avait fait subir. Lee contemplait sans enthousiasme la perspective d'une poursuite constante durant les deux semaines qu'elle avait à passer sur l'île. Il fallait qu'elle s'éloigne de Madrona et ne revienne que quand M. Vendisi serait arrivé. Mais où pouvait-elle aller sans sortir du Canada ? Lee s'endormit sans être parvenue à un choix satisfaisant. Pourtant, le lendemain matin, quand elle descendit au rez-de-chaussée, elle avait trouvé la solution à son problème.

Elle rencontra Kesley dans le petit salon où il finissait de prendre son petit déjeuner. Elle le salua et s'assit en face de lui, essayant d'ignorer le regard appréciateur dont il la couvait. Ce matin-là, elle était vêtue d'un chemisier de coton bleu et d'un pantalon de toile blanche qui mettait en valeur la finesse de sa silhouette.

— Bonjour, avez-vous bien dormi ? demanda-t-il.

Nulle trace de gêne ne perçait sous sa voix. Il semblait avoir complètement oublié l'incident de la salle de billard, la nuit précédente.

— Oui, merci, répondit-elle d'un ton neutre en se versant une tasse de café.

Elle remarqua du coin de l'œil qu'il avait également choisi de s'habiller en bleu. Cette couleur flattait son hâle uniforme.

— J'espère que vous ne m'en voulez pas pour... ce qui s'est passé hier soir, dit-il brusquement.

Surprise, Lee leva les yeux vers lui. Il semblait vraiment contrit, presque honteux, et cela était vraiment surprenant chez un homme comme Kesley.

— Pas trop, fit-elle d'un ton léger. Je suis habituée à ce genre de choses. Beaucoup d'hommes cherchent à me convaincre que j'ai tort de vivre seule...

— Et vous les repoussez toujours ? questionna-t-il avec aplomb.

Lee fut heureusement dispensée de répondre : Freda entra à ce moment-là pour lui demander ce qu'elle désirait manger.

— Un œuf à la coque, du café et des toasts, choisit Lee.

— Vous ne désirez vraiment pas des œufs frits au bacon ? insista la gouvernante. Ils peuvent être prêts en deux minutes.

— Non merci, ce que j'ai demandé suffira, coupa Lee nerveusement. En revanche, j'aimerais que vous me redonniez un peu de ce délicieux café, ajouta-t-elle précipitamment en voyant l'expression blessée que prenait le visage aimable de Freda.

Rassérénée, celle-ci la resservit avant de sortir. Quand ils furent seuls, Lee déclara gaiement :

— J'ai décidé de faire un peu de tourisme pendant que je suis au Canada. Je vais passer quelques jours à Victoria, la capitale. Je vous laisserai le numéro de téléphone de mon hôtel pour que vous puissiez me prévenir quand M. Vendisi arrivera.

Voyant que Kesley gardait le silence, elle continua :

— Après tout, il serait dommage de rester sur l'île quand il y a tant de choses à voir. Je ne prends pas souvent de vacances et j'aimerais en profiter pour voyager un peu...

— C'est bon, je vous accompagnerai à Victoria, puisque vous désirez y aller, l'interrompit-il d'un ton morose. Je vais appeler l'hôtel de *L'Impératrice* et réserver deux chambres.

Lee leva brusquement la tête. Elle n'avait absolument aucune envie de voyager en compagnie de Kesley ; en fait, c'était pour s'éloigner de lui qu'elle avait organisé ce plan.

— Il n'est absolument pas nécessaire que vous m'accompagniez, fit-elle précipitamment. Je suis parfaitement capable de me débrouiller seule.

— Je sais, concéda-t-il, mais il est toujours plus agréable de visiter un pays en compagnie d'une personne qui le connaît. Si vous voulez bien m'excuser, je vais aller téléphoner pour organiser les détails de notre voyage.

Et, sans laisser à Lee le temps d'objecter, il se leva et se dirigea vers la porte. Là, il s'effaça pour laisser entrer Freda qui arrivait, portant le plateau du petit déjeuner de Lee.

— J'ai laissé cuire votre œuf durant quatre minutes, Madame, déclara-t-elle d'un ton important. J'espère qu'il sera à votre goût.

— D'habitude, je les sors de l'eau après trois minutes, se plaignit Lee, prenant malgré elle la brave gouvernante pour cible dans son irritation contre Kesley. Mais cela ne fait rien, dit-elle d'un ton plus conciliant, regrettant son mouvement de mauvaise humeur.

Nerveuse comme elle l'était, elle ne serait pas en mesure de faire la moindre différence entre un œuf dur et un œuf à la coque. Non seulement elle était prisonnière sur cette île, mais Kesley avait décidé de ne pas lui accorder une seconde de liberté et de l'accompagner à Victoria. Il devait tenir énormément à la compagnie Frantung, réfléchit-elle. Ou bien était-ce la proposition de M. Vendisi qui le préoccupait ? Lee devenait de plus en plus curieuse quant à ce monsieur. Son flair de femme d'affaires lui soufflait que la proposition pouvait se révéler très intéressante pour les entreprises Whitney et elle n'avait aucunement l'intention de repartir à San Francisco avant de l'avoir vu en personne. Mais si elle concluait positivement les négociations, il lui faudrait le faire en accord avec la compagnie Roberts, leur partenaire, et en particulier avec Kesley, ce qui ne l'enchantait guère. Enfin, les affaires étant les affaires, quelques concessions étaient inévitables, bon gré mal gré, se résigna-t-elle.

— J'ai réservé deux chambres à l'hôtel de *L'Impératrice,* annonça Kesley en entrant dans le salon. Nous partirons demain matin.

— Je vous remercie, mais, je vous le répète, vous n'avez nul besoin de m'accompagner, répondit-elle sèchement avant de mordre dans un des toasts que Freda lui avait apportés.

— J'ai de toute façon un rendez-vous d'affaires à

Victoria après-demain matin. Je n'irai donc pas là-bas pour rien, si c'est cela que vous craignez.

Pestant intérieurement, Lee dut se rendre à l'évidence : rien ne pourrait retenir Kesley à Madrona. Elle s'enferma dans un silence hostile et termina son petit déjeuner. Depuis son réveil ce matin-là, un désagréable sentiment de claustrophobie avait pris possession d'elle, et elle en cherchait la raison. Sans doute avait-elle simplement perdu l'habitude de l'inaction, réfléchit-elle. Ses journées à San-Francisco étaient strictement ordonnées autour d'un emploi du temps rigoureux et elle n'avait que très peu de temps libre. Il lui faudrait quelques jours pour s'habituer au changement de rythme.

— Je vous ferai visiter l'île en fin de matinée, annonça Kesley. Pour l'instant, j'ai quelques petits problèmes de travail à régler.

Son ton était morne et sans allant. Lee devina qu'il était irrité. Peut-être l'avait-elle froissé plus qu'elle ne le croyait en le repoussant la nuit précédente. Elle ne put s'empêcher de s'en réjouir intérieurement. Il était trop sûr de son charme et méritait une petite leçon.

— Ne vous dérangez pas pour moi, le pressa-t-elle d'un ton léger, je visiterai l'île seule, cela ne me dérange absolument pas.

— Parfait, accepta-t-il avec une désinvolture inhabituelle chez lui, je vous verrai à midi, au déjeuner.

Sur ces mots, il se leva et quitta la pièce, laissant Lee éberluée et étrangement attristée.

Quelques minutes après, elle se leva à son tour et partit à la découverte de l'île. En descendant les marches de la véranda, elle scruta la baie calme et ruisselante de lumière. Aucun bateau ne se trouvait amarré à la jetée. Elle était bel et bien prisonnière à Madrona... Au-delà des pelouses, à la gauche de la maison commençait un petit chemin s'enfonçant parmi les arbres serrés de la forêt toute proche. Elle préféra prendre une autre direction et contourner les bâtiments pour découvrir ce qui s'étendait de l'autre côté du manoir. Un spectacle d'une extraordinaire beauté l'attendait là. Une immense roseraie offrait aux yeux une explosion de couleurs fraîches vibrant au soleil matinal, et toutes les fleurs possibles et imaginables peuplaient les parterres méticuleusement entretenus. Plus loin, Lee aperçut la tache azurée d'une piscine. Elle s'approcha à pas lents et s'arrêta au bord du bassin. L'eau scintillait de façon tentante mais cette piscine ne semblait pas être beaucoup utilisée. Ni chaises longues ni parasols sur les rebords. Kesley s'y baignait-il jamais ? Pourquoi l'avait-il faite construire puisque ni ses parents ni son frère et sa belle-sœur ne venaient jamais à Madrona. Lee en fut grandement soulagée car à la différence de Kesley, Dorothy, sa belle-sœur, ne manquerait pas de se rappeler cette jeune fille qu'elle avait chassée d'une chambre d'hôtel, sept ans auparavant. Une femme n'oubliait jamais ce genre d'incident...

— Bonjour madame, fit une voix toute proche d'elle.

Lee sursauta violemment et se retourna. Un homme d'un certain âge, vêtu d'une salopette, arrosait les bacs à fleurs derrière elle. Absorbée dans ses pensées, elle ne l'avait pas entendu arriver. Il devait s'agir du jardinier.

— Bonjour, le salua-t-elle.

— Une bien belle journée, n'est-ce pas ? continuat-il.

Son léger accent intrigua Lee. Curieuse, elle demanda ;

— Vous êtes anglais, monsieur ?

— Oui.

— Sans doute apparenté à Freda ?

— Tout à fait, répondit-il en riant. Voilà trente ans que nous sommes mariés.

— Et vous travaillez tous les deux pour M. Roberts ?

— Oui. Freda se charge de la maison et moi, des jardins.

— Je vois. Quel dommage que cette piscine soit inutilisée ! remarqua-t-elle en désignant le bassin.

— Oh, mais elle n'est pas inutilisée. M. Kesley y nage très régulièrement. Le docteur lui avait recommandé de faire beaucoup de natation pour rééduquer ses muscles, après son accident. Et même aujourd'hui, il se passe rarement un jour sans que je le voie effectuer quelques longueurs de bassin, matin et soir.

— Il n'est pas venu hier soir pourtant, remarqua-t-elle impulsivement.

— C'est vrai, mais vous étiez là et c'est la première fois qu'il invite quelqu'un sur l'île depuis son accident.

— Et avant l'accident, invitait-il beaucoup de monde ?

— Oui.

— Surtout des femmes, n'est-ce pas ?

— Eh bien, répondit-il, visiblement gêné, vous savez, je travaille à l'extérieur et je ne voyais pas souvent ses invités... D'ailleurs, cela ne me regarde pas. Je sais seulement que son épouse n'est jamais venue à Madrona. M. Kesley utilise l'île comme une retraite, pour se détendre pendant ses vacances.

Lee imaginait fort bien de quelle manière Kesley choisissait de se détendre... Elle salua le jardinier et poursuivit sa promenade. Elle découvrit bientôt un court de tennis et de badminton et, un peu plus loin, sur un terrain surplombant la mer, un golf miniature. Combien de femmes Kesley avait-il initiées aux joies du tennis ou du golf, se demanda Lee en contemplant l'impressionnant complexe sportif, avant de les entraîner à l'intérieur de la maison pour leur faire partager un autre type d'activités, auxquelles elles se soumettaient sans doute de bonne grâce...

Lee tourna les talons et prit la direction de la maison.

Que lui importaient les aventures féminines de son hôte ? Les femmes qui acceptaient une invitation sur l'île de Madrona devaient savoir à l'avance ce que l'on attendait d'elles et ne se faisaient certainement aucune illusion sur les intentions du séduisant propriétaire.

4

Lee pénétra à la suite de Kesley dans le hall de l'hôtel
de *l'Impératrice* et fut immédiatement charmée par le
cachet précieux et suranné du vénérable établissement.
Un confort feutré y régnait et l'on ne pouvait s'empêcher d'évoquer l'ère victorienne où l'hôtel avait vu le
jour. Une longue file d'attente s'étirait devant l'entrée
du salon de thé adjacent au hall.

— Mon Dieu, s'exclama Lee, stupéfaite. Mais ce
salon de thé doit être l'unique à Victoria pour qu'il y ait
une telle queue !

— Non, absolument pas, répondit Kesley en souriant. Mais l'hôtel est réputé pour servir un vrai thé
anglais traditionnel, avec toasts, petits fours, etc., et
tous les touristes veulent y avoir goûté au moins une
fois avant de quitter la ville.

Kesley devait être un client régulier, car une jeune et
séduisante réceptionniste s'avança immédiatement vers
eux quand ils parvinrent au bureau de réception.

— Bonjour, monsieur Roberts, le salua-t-elle en le
gratifiant de son plus beau sourire. Les chambres que
vous avez réservées sont prêtes. Je vais appeler un
porteur pour monter vos bagages.

— Ne vous donnez pas cette peine, l'interrompit
Kesley en lui rendant son sourire. Nous n'avons que
deux petits sacs de voyage. Donnez-nous les clefs de

nos chambres et nous trouverons notre chemin tout seuls.

Les chambres étaient toutes deux situées au quatrième étage, mais aux extrémités opposées du long corridor moqueté de rouge. Ils s'arrêtèrent tout d'abord dans celle destinée à Lee. Elle s'approcha de la fenêtre et souleva le rideau. Devant elle s'étendait la rade de Victoria et en se penchant, elle découvrit, sur la gauche, les bâtiments du Parlement, situés dans un parc fleuri.

— La chambre est très jolie, admit-elle. Cependant j'aurais aimé en avoir une située plus haut, à un étage supérieur.

Kesley la fixa d'un regard incrédule.

— Savez-vous quelles sont les chances d'avoir deux chambres, en cette saison ? D'habitude, cet hôtel est complet durant tout l'été et c'est grâce à...

— Vos relations ? suggéra moqueusement Lee.

— Non. C'est grâce à deux annulations tardives que nous avons pu trouver à nous loger.

— Je vois, fit laconiquement Lee en se dirigeant vers le lit où elle avait posé son sac.

La présence silencieuse de Kesley près de l'entrée l'embarrassait.

— Je suppose que vous allez vous installer dans votre propre chambre à présent, avança-t-elle, impatiente de le voir partir.

Les deux lits jumeaux recouverts d'une courtepointe jaune éveillaient en elle de tristes souvenirs, et elle ne voulait pas que Kesley soit témoin de son émotion.

— Je viendrai vous chercher dans une demi-heure, pour commencer notre exploration de Victoria, prévint-il en sortant.

Quand la porte se referma derrière lui, Lee s'avança vers la fenêtre et appuya son front contre la vitre. Une fébrile activité régnait dans le port, au bord de la rade ; des groupes de touristes flânaient le long de la promenade bordée de palmiers, au-dessous d'elle. Mais son esprit était ailleurs et elle suivait d'un œil indifférent les silhouettes. Désabusée, elle pensait à ce qu'auraient pu être ces vacances si ses rêves de jeune fille s'étaient réalisés. Elle aurait partagé cette chambre avec Kesley, cette chambre trop grande pour une seule personne et, ensemble, ils auraient visité la ville qui s'étendait à leurs pieds, en amoureux... Bien sûr, l'amour était une chose magique et impalpable qui s'éteignait souvent, sans que l'on sache pourquoi. Cependant, des couples réussissaient à construire leur vie autour de ce sentiment et partageaient jusqu'à la fin de leurs jours une inépuisable tendresse. Leur bonheur n'était-il dû qu'à la chance ?

Lee chassa ces pensées d'un haussement d'épaules impatient et se mit en devoir de sortir de son sac de voyage les quelques effets qu'elle avait emballés. Elle échangea ensuite son tailleur bleu contre une robe de toile blanche et retoucha son maquillage. Quelques minutes plus tard, Kesley frappait à sa porte et, prenant son sac à main au passage, elle le rejoignit dans le corridor. Il s'était également changé et portait maintenant un polo de soie grège à manches courtes et un pantalon de lin brun. Quoi qu'il porte, pensa Lee en l'observant du coin de l'œil tandis qu'ils se dirigeaient vers l'ascenseur, il ne perd pas une once de sa séduction naturelle. Il devait représenter l'homme idéal pour beaucoup de femmes. Pourtant, sa beauté n'était pas classique, ses traits étaient trop particuliers et originaux pour cela, mais il rayonnait d'un charme irrésistible. Le regard admiratif que lui adressa une vieille dame dans l'ascenseur confirma Lee dans son opinion.

— Nous allons commencer par un tour en calèche, décida-t-il quand ils sortirent du hall de l'hôtel. Victoria n'est pas une grande ville et cela ne prendra guère plus d'une heure. Et vous verrez beaucoup plus de choses que de la vitre d'une voiture.

— Entendu, accepta Lee d'un ton aussi léger que possible.

Elle ne devait pas lui laisser deviner combien le contact de ses doigts sur son bras la troublait. Malgré tous ses efforts, elle perdait son sang-froid habituel et son cœur battait aussi fort qu'à dix-huit ans...

Le point de départ des calèches se trouvait non loin de l'hôtel ; ils y arrivèrent en quelques minutes. Une douzaine de touristes parlant haut et fort occupaient déjà la première voiture, et Kesley poussa d'autorité Lee à bord de la seconde qui était encore vide. Ils purent ainsi sélectionner les meilleures places, à l'avant du véhicule, juste derrière le siège du cocher. Devant eux, les deux chevaux de l'attelage attendaient stoïquement, agitant de temps en temps leurs oreilles pour chasser une mouche obstinée. Le cocher, un grand jeune homme vêtu d'un jean et d'une chemise de sport, arriva enfin et donna le signal du départ. La calèche démarra avec une secousse et Lee sentit une onde de bonheur presque enfantin la traverser à l'idée de la promenade qu'ils allaient effectuer.

Ils passèrent d'abord devant les bâtiments du Parlement de la Colombie britannique. La ville de Victoria avait été baptisée ainsi en l'honneur de la digne reine anglaise et une statue de celle-ci devant l'édifice rappelait ce fait aux visiteurs. Le cocher commentait de façon spirituelle l'histoire de sa ville tandis que la calèche passait devant les divers monuments. Il prenait soin d'agrémenter son discours de détails pittoresques et Lee apprit ainsi que les ampoules des lampes illuminant la façade du Parlement, la nuit, n'auraient jamais été changées depuis leur installation, quelques décades plus tôt. Certes, à l'époque, les industriels produisant le matériel électrique étaient plus soucieux de la réputation de leur produit que de leur chiffre d'affaires...

— Vous devez vous ennuyer, s'inquiéta Lee en se

tournant vers Kesley. Vous connaissez cette histoire par cœur, non ?

— Au contraire, je ne la connaissais pas, la détrompa-t-il en lui adressant un sourire chaleureux. Vous savez, les touristes en apprennent toujours plus sur une ville en quelques jours que les personnes qui y vivent leur vie durant. Vous, par exemple, je parie que vous ignorez beaucoup de choses de l'histoire de San Francisco.

— C'est vrai, admit-elle en riant.

Elle se sentait tout à coup d'excellente humeur et prenait un plaisir toujours grandissant à cette promenade en calèche. Kesley avait étendu son bras sur le dossier de leur siège, derrière elle, et, à la faveur d'un cahot occasionnel, elle sentait parfois sa main glisser sur son épaule. Mais elle n'y prêtait pas attention. Tout lui semblait beau et intéressant, tout à coup. Depuis combien de temps n'avait-elle pas eu le loisir de se détendre ainsi et d'oublier pendant quelques heures les responsabilités qui pesaient sur ses épaules ? Elle ne se souvenait même plus qu'elle était la directrice des entreprises Whitney.

On distinguait au loin les cimes neigeuses, frontières naturelles entre les territoires américains et canadiens. Le reste de la promenade passa comme dans un rêve pour Lee. Les chevaux trottaient à présent dans les larges allées du parc de Beacon Hill et la jeune femme suivait d'un œil attendri les jeux des petits enfants sur les pelouses et les couples d'amoureux enlacés sur les bancs. Il lui semblait soudain que sa propre adolescence n'était pas si éloignée dans le temps et, en fermant les yeux, elle parvenait encore à éprouver le bonheur d'avoir vingt ans et d'être amoureuse...

Le reste de l'après-midi se déroula sans que rien ne vienne troubler son allégresse. Après la promenade en calèche, ils assistèrent au spectacle donné par les pensionnaires de l'aquarium de la ville ; le ballet marin d'une troupe de dauphins et d'une impressionnante baleine apprivoisée nommée Aïda. Lee s'attendrit en découvrant Miracle, le bébé cachalot que l'on avait trouvé blessé dans la rade et qui avait passé sa convalescence dans la piscine d'un hôtel voisin, réquisitionnée pour l'occasion.

Ils visitèrent ensuite le musée historique de la ville et l'exposition de costumes de l'ère victorienne intéressa tout particulièrement Lee.

— Regardez cette taille de guêpe ! s'exclama-t-elle en désignant un mannequin de cire vêtu d'une somptueuse robe de bal.

— Considérant la finesse de la vôtre, je suis sûr que vous pourriez porter sans problèmes cette tenue, affirma Kesley.

— Oh non ! A moins de revêtir un corset de fer ! plaisanta-t-elle, cherchant à dissimuler le plaisir que lui procurait ce compliment.

En poursuivant la visite, Lee essaya de s'imaginer la vie de ces femmes du XIXe siècle. A l'époque, elles étaient considérées par tous comme des êtres inférieurs. Les jeunes filles étaient élevées dans la pudibonderie et elles épousaient souvent un homme choisi par leurs parents, sans que personne ne leur demande leur avis. Ces mariages arrangés présentaient un seul avantage ! La jalousie ne troublait pas les rapports des conjoints. La société admettait tacitement les infidélités conjugales d'un mari et les femmes, emprisonnées depuis l'enfance dans un rigide corset de préceptes moraux, acceptaient de n'être que les mères des enfants du foyer. L'idée même du plaisir charnel leur était interdite.

Lee chassa de son esprit ces déprimantes réflexions qui l'attristaient et suivit avec soulagement Kesley hors du musée. Le soir tombait et ils prirent le chemin du restaurant où son compagnon avait réservé une table.

Ce restaurant occupait le dernier étage d'un gratte-ciel portant le nom bizarre de « Maison des Perroquets ».

— Cet immeuble a été construit sur l'emplacement d'une maison où vivait une vieille dame excentrique. Elle adorait les perroquets et en possédait une centaine chez elle. A sa mort, la maison fut vendue à des promoteurs immobiliers qui la rasèrent pour pouvoir construire un building moderne. Mais ils ont conservé le vieux nom de l'emplacement, expliqua Kesley tandis qu'ils prenaient place à leur table.

Lee écouta cette anecdote d'une oreille distraite. Sa belle assurance de l'après-midi s'évaporait rapidement à la pensée du long dîner en tête à tête qu'ils allaient partager. Leur après-midi avait été si agréable, pourquoi se sentait-elle à présent si nerveuse ? Pourquoi perdait-elle son sang-froid quand elle se retrouvait seule avec lui ? Le maître d'hôtel leur apporta à ce moment-là les apéritifs qu'ils avaient commandés, et elle se plongea dans la contemplation du liquide doré qui remplissait son verre, cherchant une explication valable à son trouble.

— A quoi pensez-vous ? entendit-elle soudain Kesley lui demander.

— Pourquoi désirez-vous le savoir ? Vous êtes indiscret... rétorqua-t-elle, agressive.

— Peut-être, mais je n'aime pas vous voir préoccupée et, si j'en juge par votre expression, vous l'êtes. Si vous avez un problème, pourquoi ne pas m'en parler ? Cela aide parfois de se confier...

Lee but une gorgée en le fixant d'un regard froid.

— Je suis habituée à résoudre mes problèmes seule monsieur Roberts. Je ne crois pas aux vertus des confidences, même si l'oreille qui vous écoute est compatissante. Mieux vaut se taire et agir.

— Vous semblez avoir une personnalité extrêmement forte... A moins que vous n'ayez tout simplement peur des contacts humains, suggéra-t-il en souriant malicieusement.

— Peur? Vous plaisantez! Enfin, monsieur Roberts, pensez-vous qu'une personne timide aurait été capable de prendre en charge les établissements Whitney et de les faire prospérer, comme je l'ai fait? demanda-t-elle rageusement.

— Cela n'a rien à voir, objecta Kesley sans se départir de son sourire. Vous êtes peut-être une admirable femme d'affaires, mais cela ne change rien au fait que vous soyez timide. D'ailleurs, vous persistez à m'appeler monsieur Roberts. Vous savez bien que je m'appelle Kesley...

— Eh bien, Kesley, parlons d'autre chose, voulez-vous? Voilà, vous êtes satisfait à présent? siffla-t-elle, furieuse.

— Ce n'est pas mal pour un début... Bien que je vous préfère moins agressive! Bien, et maintenant, choisissez ce que vous désirez manger, conclut-il en lui tendant le menu relié de cuir. Il se fait tard et j'ai des projets en réserve pour la fin de notre soirée.

— Si vous songez à m'emmener dans une discothèque, sachez que j'ai horreur de ce genre d'endroits!

— Je n'ai rien dit de la sorte, se défendit-il. Faites-moi confiance, je crois bien deviner vos goûts.

Confiance! songea-t-elle amèrement. Voilà bien la dernière chose qu'elle lui accorderait! Ne lui avait-elle pas fait confiance sept ans auparavant? Elle avait eu l'occasion de s'en repentir depuis... Mais elle ne commettrait pas deux fois la même erreur.

Le repas fut succulent et Lee était de meilleure humeur quand ils se levèrent et quittèrent le restaurant. A sa grande surprise, Kesley ne l'amena pas vers le centre de la ville, où se trouvaient la plupart des cinémas et des cabarets, mais vers la promenade qui longeait le port. Une brise tiède soufflait de la mer et Lee retrouva un peu du tranquille bien-être qui l'avait envahie au cours de l'après-midi. Autour d'eux, d'autres couples flânaient sans but, profitant du calme nocturne. Ils croisèrent deux jeunes gens enlacés et Lee ne put s'empêcher de les envier, l'espace d'une seconde.

— Je vous dois des excuses, murmura-t-elle à l'adresse de Kesley.

— Pourquoi donc ?

— Pour vous avoir soupçonné de me conduire dans un night-club.

— Réfléchissez, Lee. Croyez-vous que je passerais tous mes jours de liberté sur l'île, à Madrona, si j'aimais le bruit et l'agitation ? Nous avons en commun le goût du calme mais je suis sûr que nous en partageons beaucoup d'autres...

— Vraiment ?

— Oui, j'en suis persuadé.

— Et comment pouvez-vous l'affirmer ?

— Je fais confiance à mon instinct...

Il s'arrêta brusquement et, avant que Lee n'ait pu protester, il l'enlaça et prit possession de ses lèvres. Malgré elle, elle se laissa aller contre lui et répondit avec passion à son baiser. Tous ses doutes s'évaporèrent comme par magie et elle ne pensa plus à rien, perdue dans une tourmente de sensations délicieuses. Seuls comptaient pour elle à présent la chaleur de ces lèvres exigeantes posées sur les siennes, le long corps musclé contre le sien et dont elle devinait chaque contour à travers sa mince robe d'été... Une vague de désir la souleva et il lui sembla que tout son corps s'éveillait après un long hiver. Emerveillée et encore incrédule, elle glissa ses bras autour du cou de Kesley et se serra de toutes ses forces contre lui.

— Lee, oh Lee... murmura-t-il d'une voix rauque à son oreille. Je savais que tu ne pouvais être la femme froide que tu prétends être... Retournons à l'hôtel, veux-tu ?

— Oui, accepta-t-elle à voix basse.

Elle savait ce qui allait se passer, mais n'était-ce pas ce qu'elle désirait elle aussi ? Les convenances s'effaçaient devant la fièvre qui les consumait tous deux. Etroitement enlacés, ils reprirent rapidement le chemin de l'hôtel. Il semblait à la jeune femme qu'elle marchait sur un nuage, un merveilleux nuage... Elle aimait Kesley, elle l'avait toujours aimé et qu'importait s'il ne se souvenait plus de leur première rencontre ? Il était veuf à présent, libre, et rien ne s'opposait plus à ce qu'ils deviennent amants, l'espace d'une nuit. L'espace d'une nuit... Ces mots se fichèrent comme une flèche empoisonnée dans son esprit tandis qu'elle pénétrait avec Kesley dans l'ascenseur. Toute sa belle euphorie disparut. Kesley avait passé son bras autour de ses épaules et la serrait possessivement contre lui mais il était trop tard... Le charme était rompu. Elle contemplait à présent la situation d'un œil froid et amer. Une fois de plus, elle était tombée dans le piège du charme de Kesley, mais il n'était pas encore trop tard pour redresser la situation à son avantage.

— Merci de m'avoir fait connaître Victoria, dit-elle d'un ton faussement désinvolte quand ils arrivèrent devant la porte de sa chambre. Grâce à vous, j'ai passé une très bonne journée. Avez-vous prévu quelque chose pour demain matin ?

Kesley la fixa d'un regard surpris et il fronça les sourcils.

— Mais... Que se passe-t-il Lee ? explosa-t-il. A quoi rime cette comédie ? Il y a à peine quelques instants, vous étiez la plus tendre, la plus passionnée des femmes et maintenant... vous êtes de glace. Pourquoi ?

— Ah, monsieur Roberts, j'ai vingt-sept ans, je ne suis plus une innocente jeune fille que l'on peut séduire impunément... railla-t-elle. Mais vous pouvez toujours retourner sur la promenade et choisir une des adolescentes que nous avons vues ce soir. Je suis sûre que vous les charmerez sans peine, au moins l'une d'entre elles.

— Que voulez-vous dire ? demanda-t-il, une lueur dangereuse au fond des yeux. Je n'ai pas l'habitude de jouer avec le cœur des adolescentes !

— Vraiment ? répliqua-t-elle, ne contrôlant plus la rage qui la soulevait. J'aurai cru le contraire. Vous ne me semblez pas être de ceux qui s'embarrassent de scrupules inutiles...

Elle le sentit se tendre mais sa voix resta calme :

— Vous ne me connaissez que depuis trois jours, Lee. Croyez-vous que cela vous autorise à me juger ?

— Le caractère de certains hommes est transparent et le vôtre se devine au premier coup d'œil, argumenta-t-elle amèrement.

— Vraiment ? Vous devez avoir une grande expérience des hommes pour être si perspicace ! C'est étrange, j'aurais juré qu'au contraire, vous étiez plutôt innocente sous ce rapport, malgré le fait que vous ayez été mariée... Remarquez, vous avez épousé un vieil homme et il ne devait pas être aussi exigeant qu'un jeune mari... Est-ce cela qui vous a poussée à l'épouser ? Ou bien était-ce sa fortune qui vous attirait ?

Lee leva la main et le gifla de toutes ses forces.

— Comment osez-vous ?... s'écria-t-elle, les yeux brillants de colère. Fletcher Whitney était un gentleman et vous ne lui arrivez pas à la cheville ! Je l'ai épousé parce qu'il était bon et humain et parce que je l'aimais...

Kesley s'appuya contre le mur et inclina moqueusement la tête en signe de contrition.

— Bien, excusez-moi. Mais je ne crois pas me tromper en ce qui concerne l'autre partie de mon jugement. Un homme de soixante ans n'est jamais l'amant idéal pour une jeune fille de vingt ans...

Il avait deviné juste ; Lee fulminait :

— Le côté physique d'une relation n'est pas tout dans un mariage, monsieur Roberts, vous devriez le savoir, objecta-t-elle en essayant fébrilement d'introduire la clef dans la serrure de la porte de sa chambre.

Avant qu'elle n'ait eu le temps de protester, Kesley lui avait pris la clef récalcitrante des mains. D'un air décidé, il déverrouilla la porte et poussa Lee à l'intérieur de la chambre avant de fermer le battant derrière eux.

— Je vous prie de sortir, ordonna-t-elle sèchement. Si vous ne le faites pas, je vais appeler la réception...

— Vous pourrez appeler qui bon vous semble un peu plus tard, dit-il légèrement en la débarrassant d'autorité de son sac à main avant de le jeter sur le lit. Pendant ce temps, j'ai l'intention de vous prouver que la bonté et la délicatesse sont de bien beaux sentiments mais qu'un mariage ne se construit pas seulement sur ces qualités...

Et il attira violemment Lee contre lui, étouffant ses protestations d'un long baiser. Etourdie, elle comprit qu'il serait inutile de se débattre. Les bras de Kesley l'enserraient comme un étau. Mais elle ne songea bientôt plus à s'échapper. Le contact du corps chaud de Kesley contre le sien ranima soudain la fièvre qui l'avait brûlée plus tôt, quand il l'avait embrassée sur la promenade. Et toutes les barrières qu'elle avait dressées jusqu'à ce jour autour d'elle s'écroulèrent comme un château de cartes. Incapable de résister à l'appel de ses sens endormis pendant si longtemps, elle s'abandonna à l'étreinte de Kesley, arquant son corps pour mieux répondre à ses caresses exigeantes. Assoiffée d'amour, elle buvait ses lèvres, laissait ses mains se perdre dans les boucles de ses cheveux, oubliant le temps.

— Lee, ma chérie, l'entendit-elle murmurer, laisse-moi rester avec toi, cette nuit. Je t'en prie...

D'un baiser, elle lui fit comprendre que sa requête était accordée. Vivement, il la prit dans ses bras et la souleva de terre pour la porter jusqu'au grand lit. Là, il la déposa comme un précieux fardeau sur la courte-pointe et la déshabilla. Les yeux clos, Lee baignait dans un bonheur extrême, seulement consciente des mains de Kesley la caressant avidement, de ses lèvres brûlantes sur sa peau.

— Kesley, murmura-t-elle, l'attirant contre elle. Pour rien au monde elle n'aurait voulu être ailleurs que dans ces bras musclés. Les années n'y faisaient rien, elle le désirait autant, sinon plus, que jadis. Rien ne pouvait se comparer au bonheur de serrer contre elle l'homme qu'elle aimait passionnément, Kesley...

La sonnerie du téléphone déchira soudain le silence. Ils se raidirent instantanément, paralysés par cette intrusion du monde extérieur dans leur intimité.

— Ne réponds pas! ordonna Kesley, emprisonnant la main que Lee tendait vers le récepteur posé sur la table de nuit.

Elle leva les yeux vers lui et le contempla d'un air perplexe. La sonnerie du téléphone l'avait brusquement ramenée à la réalité et elle se demandait à présent pourquoi elle avait permis à Kesley de passer la nuit avec elle. Sa présence à ses côtés la répugnait soudain. Elle suivit d'un œil incrédule la ligne de son bras musclé qui la retenait encore. Mais que faisait-elle donc là avec Kesley? Ne s'était-elle pas promis de ne pas commettre à nouveau l'erreur du passé? Et pourtant, il avait réussi, sans peine aucune, à vaincre sa résistance et à la plier à ses désirs. Comme autrefois...

— C'est peut-être important, dit-elle sèchement en décrochant le combiné. Allô?

— C'est vous, Lee?

Lee reconnut immédiatement la voix énergique de Maitland.

— Oui, Maitland, que se passe-t-il? Pourquoi m'appelez-vous? demanda-t-elle en tirant la courtepointe sur son corps nu.

Du coin de l'œil, elle vit Kesley se redresser et s'asseoir au bord du lit.

— Je voulais simplement avoir de vos nouvelles, répondit Maitland. Comment allez-vous?

— Bien, merci. Comment avez-vous su que j'étais à Victoria?

— La gouvernante de Madrona m'a donné le numéro de téléphone de l'hôtel. Elle m'a aussi appris que M. Roberts était parti avec vous. Mais pourquoi êtes-vous à Victoria? Je croyais que le bureau d'import-export que vous vouliez acquérir se trouvait à Vancouver.

— En effet, coupa Lee, irritée de la curiosité qui perçait sous la voix de Maitland. Mais le propriétaire, M. Vendisi, ne pourra se libérer avant quelques jours. Aussi, j'ai décidé de faire un peu de tourisme, en attendant.

— Du tourisme? s'étonna Maitland. Toute seule?

— Non, M. Roberts est avec moi.

Et elle jeta un rapide coup d'œil à Kesley qui avait entrepris de se rhabiller.

— Vous voulez dire... Il est avec vous en ce moment? demanda Maitland.

— Oui.

— Faites attention, Lee, avertit-il. J'espère que vous n'êtes pas en train de faire une bêtise... Je veux dire que, dans les circonstances, il vaut mieux garder certaines distances... Autrement, il pourrait essayer de prendre avantage de vous et surtout, de votre position.

— Vraiment? Expliquez-moi comment... rétorqua sèchement Lee.

— Enfin, Lee, protesta-t-il, embarrassé, vous devez bien me comprendre... Vous n'êtes pas n'importe qui. Avant tout, vous êtes la directrice des entreprises Whitney et certains hommes seraient très attirés par la perspective de partager avec vous votre pouvoir...

— Maitland, coupa Lee, je suis assez grande pour prendre mes responsabilités, ne croyez-vous pas?

— Bien sûr, bien sûr, se hâta-t-il d'ajouter. Je voulais simplement vous mettre en garde...

— Parfait, Maitland, je serai prudente. Bonne nuit, le salua-t-elle avant de couper la communication.

— C'était votre petit ami? demanda moqueusement Kesley.

— C'était Maitland Frasier, corrigea-t-elle en le fixant d'un regard froid.

— Vous allez l'épouser? s'enquit-il brusquement.

— Peut-être...

— Eh bien, vous êtes stupide! s'exclama-t-il rageusement. Je ne connais pas ce Maitland mais je suis prêt à parier qu'il serait aussi mal assorti à vous que votre premier mari!

Sur ces mots, il se dirigea à grands pas vers la porte et sortit en claquant violemment le battant derrière lui.

Après son départ, Lee resta longtemps immobile, réfléchissant. Kesley cherchait-il, comme l'avait suggéré Maitland, à la séduire pour parvenir au contrôle de la compagnie Whitney? Pour lui, elle n'était qu'une jolie femme dotée d'un enviable pouvoir dans le monde des affaires. Et elle se rappelait fort bien de son désir, sept ans auparavant, d'acquérir la Frantung. A l'époque, elle n'était que la secrétaire de Fletcher Whitney et il l'avait harcelée jusqu'à ce qu'elle lui accorde un rendez-vous avec ce dernier. En fait, peut-être était-ce seulement parce qu'elle était en contact quotidien avec Fletcher que Kesley l'avait séduite. Peut-être pensait-il s'introduire plus facilement dans la société de cette manière. A présent, c'était elle la directrice, et les avantages d'une liaison avec Lee étaient bien plus grands que par le passé... Peut-être caressait-il même l'espoir d'un mariage qui assurerait d'autant mieux sa position.

Lentement, elle se leva et passa dans la salle de

bains. Elle prit une douche et se changea ensuite pour la nuit, réfléchissant toujours aux motifs de Kesley. Etant elle-même une femme d'affaires, elle ne comprenait que trop bien son raisonnement. Grâce à elle, il pourrait acquérir la Frantung et se lancer dans l'import-export si elle décidait d'acheter la compagnie de M. Vendisi. Bref, elle devait constituer un très beau parti à ses yeux... Et il n'hésiterait pas à jouer la comédie de l'amour pour parvenir à ses fins.

Quelques heures plus tard, Lee n'était toujours pas parvenue à trouver le sommeil. Les questions tourbillonnaient dans son esprit las. Pourquoi Kesley possédait-il cet incontestable pouvoir sur elle ? Elle avait cédé ce soir à ses avances aussi facilement que sept ans plus tôt... Mais, à l'époque, elle n'était qu'une innocente jeune fille, fascinée par le charme et l'assurance d'un homme plein d'expérience, tandis qu'à présent... Rien n'avait changé, il cherchait toujours à profiter de son ascendant sur elle pour satisfaire sa brûlante ambition. Et elle avait failli tomber dans son piège une fois de plus, malgré sa lucidité et la promesse qu'elle s'était faite de ne plus jamais céder aux élans du cœur. Ses joues s'empourprèrent quand elle se souvint avec quelle passion elle avait répondu à ses baisers, dans cette chambre même, quelques heures plus tôt. N'avait-elle donc aucune fierté pour s'abandonner ainsi, comme l'aurait fait une naïve adolescente ? Il fallait se rendre au fait : physiquement, elle était irrésistiblement attirée par Kesley. Elle devait étouffer cette part d'elle-même qui la rendait vulnérable et ne plus écouter que la voix de la raison. Mais comment parviendrait-elle à ne plus désirer Kesley quand elle était constamment en sa présence ?

Sur cette question, Lee tomba dans un sommeil lourd et peuplé de cauchemars.

5

Quand Lee et Kesley arrivèrent à Madrona à bord de la vedette, le lendemain, Freda les attendait sur la jetée. Elle semblait très agitée.

— Monsieur Roberts, M. et Mme Vendisi arrivent cet après-midi, annonça-t-elle après les avoir salués.

— Bien, fit Kesley en aidant Lee à prendre pied sur le débarcadère. Quelle chambre leur avez-vous attribuée ?

— Celle qui donne sur la piscine. Croyez-vous qu'elle leur plaira ?

— Certainement. Freda, je voudrais vous prévenir d'une chose. La personne qui accompagnera M. Vendisi n'est certainement pas son épouse...

— Oh ! fit Freda, inquiète. Dans ce cas, il faut que je fasse préparer une autre chambre...

— Ne vous donnez pas cette peine, l'interrompit Kesley en riant. M. Vendisi n'aime pas dormir seul, quand il voyage... Vous me comprenez ?

Une expression de profonde désapprobation se peignit sur le visage de la digne gouvernante mais elle se garda de faire aucun commentaire. Lee était tout aussi choquée de la désinvolture de Kesley. Pourtant, elle n'aurait pas dû être surprise... N'avait-elle pas appris à ses dépens qu'il ne faisait aucun cas de la fidélité conjugale ? Irritée, elle prit les devants et entreprit de gravir le sentier qui menait à la maison, laissant Kesley et Freda régler les détails domestiques de cette arrivée.

Kesley la rejoignit en courant, alors qu'elle atteignait la véranda. Elle se tourna vers lui et le fixa d'un air glacial.

— Lee, fit-il, je voulais vous demander quelque chose... Pourriez-vous faire office de maîtresse de maison, durant la visite de M. Vendisi et de sa... compagne ? Nous devons traiter d'une affaire importante, vous le savez et j'apprécierais votre collaboration...

— Où voulez-vous en venir exactement ? demanda sèchement Lee. Vous n'attendez tout de même pas de moi que j'ouvre mon lit à M. Vendisi pour qu'il nous vende sa société à moindre prix !

Kesley fronça les sourcils.

— Je n'ai jamais rien dit de la sorte ! J'aimerais simplement vous voir un peu plus chaleureuse que d'habitude avec Harry, c'est tout. Grands Dieux, je n'aimerais pas vous voir faire des avances à un homme comme Vendisi !

— Vous m'en voyez heureuse, railla Lee. De toute façon, je n'accepterais pas que vous me dictiez ma conduite. Je traiterai M. Vendisi comme bon me semblera. Après tout, c'est moi qui déciderai si j'achète ou non sa compagnie...

— Vous ne comprenez pas, Lee, insista Kesley. Je connais Harry et je sais qu'il acceptera mal de négocier avec une femme... D'autre part, vous semblez oublier que j'ai moi aussi mon mot à dire dans cette histoire !

— Vous tenez vraiment beaucoup à cette affaire... Mais je veux que les choses soient claires et nettes : je suis intéressée par le bureau d'import-export de M. Vendisi mais je ne l'achèterai que si son prix me convient. Dans le cas contraire, je laisse tomber l'affaire, que cela vous plaise ou non !

Sans laisser à Kesley le temps de répondre, elle

tourna les talons et pénétra à l'intérieur de la maison. Elle traversa le salon en coup de vent et gagna sa chambre, claquant la porte derrière elle. Pour qui la prenait-il donc? fulminait-elle intérieurement. Soit, elle n'avait encore jamais eu l'occasion de négocier avec un gangster et elle ne doutait pas que Harry Vendisi en soit un. Cependant, elle avait souvent eu affaire à San Francisco à des personnes dont la moralité était plus que douteuse, mais aucune d'elles n'avaient pu prendre avantage du fait qu'elle soit une femme. Elle se souvenait encore de certaines tractations commerciales où les plus vieux et les plus rusés des hommes d'affaires avaient dû déclarer forfait devant son habileté. Quand il s'agissait de défendre les intérêts de la compagnie Whitney, elle ne craignait personne et procédait avec calme et aisance. Si seulement elle pouvait être aussi sûre d'elle quand elle se trouvait en présence de Kesley...

Lee s'accouda à la fenêtre de sa chambre et se remémora ses débuts, ses premiers contacts avec le monde de la finance et du commerce. Elle n'avait finalement pas eu de trop grandes difficultés à s'imposer dans ces milieux. Son autorité naturelle, jointe à ses indéniables qualités d'administratrice lui avait permis de surmonter tous les obstacles. Certains de ses collaborateurs lui reprochaient sa froideur, elle le savait. Ils ignoraient la terrible épreuve psychologique qu'elle avait subie à l'âge de dix-huit ans et qui avait brisé en elle tout élan, toute chaleur humaine. Un cœur glacé, voilà ce qu'elle était jusqu'à ces derniers jours...

Soupirant, elle passa dans la salle de bains et fit couler un bain brûlant. Quand la baignoire fut pleine, elle se déshabilla et se glissa lentement dans l'eau. Une épaisse vapeur obscurcissait la pièce. Elle songea distraitement que l'humidité allait abîmer le pli de sa coiffure. Cela ne faisait rien, elle aurait le temps de se laver les cheveux, tout le temps...

— Lee ! Lee, réveillez-vous !

Lentement, Lee ouvrit les yeux. D'où venait cette voix inquiète ? Elle distingua peu à peu une silhouette masculine se penchant sur elle et reconnut Kesley. Il était très pâle. Elle prit soudain conscience qu'elle se trouvait toujours dans son bain. L'eau était froide. Que s'était-il passé et que faisait Kesley dans sa salle de bains ?

— Que voulez-vous ? réussit-elle à balbutier, reprenant peu à peu ses esprits.

Elle avait impulsivement croisé ses bras sur sa poitrine dénudée.

— Vous sauver de la noyade ! Vous vous endormez souvent dans votre bain ? Si oui, je m'étonne que vous soyez encore en vie !

— C'est la première fois que cela m'arrive ! se défendit-elle. Et maintenant, voulez-vous bien sortir de ma salle de bains ?

— Pas avant de vous avoir mise en sécurité !

Il prit Lee à bras-le-corps et la souleva hors de l'eau pour la déposer, ébahie, sur le tapis de bain. Puis il recula d'un pas et laissa glisser son regard sur les courbes dénudées de la jeune femme. Un lourd silence tomba.

— Vous êtes encore plus belle que je ne le pensais... murmura-t-il enfin.

Un long frisson secoua Lee et la laissa faible et désemparée. Pourquoi ce regard plein de désir la troublait-il tellement ? Quelque part dans son esprit embué d'une étrange torpeur, une petite voix l'avertissait du danger mais elle restait là, immobile, incapable du moindre mouvement.

— Non, Kesley, gémit-elle, voyant qu'il avançait lentement sa main vers son épaule.

Elle devinait ce qui allait se passer mais elle ne bougea pas, attendant avec une impatience mêlée d'horreur le moment où leurs peaux entreraient en contact. Et quand les doigts de Kesley frôlèrent son cou, elle sursauta, comme frappée d'une décharge électrique.

— Comme ta peau est blanche ! souffla-t-il.

Le son de sa voix rompit la langoureuse léthargie qui paralysait Lee. Vivement, elle recula d'un pas et railla d'un ton cinglant :

— Que vous importe la couleur de ma peau ? Maintenant, sortez ! Et cessez de me regarder ainsi ! Ce ne doit pas être la première fois que vous voyez une femme nue...

La tête haute, elle le contourna pour aller prendre son peignoir, suspendu au crochet de la porte. Mais à peine avait-elle fait trois pas, qu'elle sentit une main de fer agripper son bras et la tirer violemment en arrière. Elle se retrouva écrasée contre la poitrine de Kesley.

— Vous n'étiez pas si hautaine, hier soir... gronda-t-il.

Une rage froide brillait dans ses yeux mais Lee se força à soutenir son regard.

— Je ne suis pas fière de ce qui s'est passé hier soir, croyez-moi, interrompit-elle sévèrement. Je... Je n'étais pas moi-même...

Tout en parlant, elle essayait de se dégager de l'étreinte de Kesley mais chacun de ses mouvements semblait l'emprisonner davantage.

— C'est vrai, concéda-t-il avec une dangereuse douceur, vous n'étiez pas vous-même... Vous étiez enfin humaine et vous réagissiez comme une vraie femme, jusqu'à ce que votre maudit fiancé vous appelle. Dites-moi, est-il un bon amant ?

— Tous les hommes ne sont pas comme vous, monsieur Roberts, heureusement ! riposta-t-elle en le fusillant du regard. Certains savent ce que signifie respecter une femme !

— Si je vous comprends bien, il ne vous a jamais...

— C'est exact et je l'en estime d'autant plus, répliqua-t-elle avec hauteur. Croyez-vous que les femmes n'aiment que les Don Juan de votre espèce ? A présent, lâchez-moi, vous me faites mal !

Il desserra légèrement son étreinte sans pour autant la libérer.

— Vous lui accordez tout de même un baiser, de temps en temps, j'espère... railla-t-il d'un air mauvais.

— Cela ne vous regarde pas ! Et d'abord, en quoi ma vie privée vous intéresse-t-elle ?

— Elle m'intéresse, c'est tout. J'aimerais comprendre pourquoi vous gâchez volontairement votre vie. Je déteste le gâchis...

Lentement, sa main remonta le long du dos de Lee et vint caresser son visage buté.

— Quel dommage, quel grand dommage, murmura-t-il comme s'il se parlait à lui-même. Ce Maitland n'est pas digne de vous, Lee, j'en suis sûr, pas plus que ne l'était Fletcher Whitney.

A la mention du nom de celui qui fut son mari, Lee se raidit.

— Taisez-vous ! s'écria-t-elle, indignée. Comment osez-vous dire cela ? Fletcher était le plus merveilleux des hommes !

— Peut-être, rétorqua-t-il, mais il ne vous a jamais embrassée ainsi...

Et, saisissant les cheveux de Lee, il lui tira doucement la tête en arrière, l'obligeant ainsi à lui offrir son visage ; puis il lui prit les lèvres avec une sauvagerie raffinée, les mordant et les caressant alternativement. Lee se débattit mais la bataille était perdue d'avance. Kesley n'avait aucune intention de la lâcher et il était beaucoup plus fort qu'elle physiquement. Suffocante de rage, elle dut se soumettre à son étreinte brutale.

Elle n'aurait su dire à quel moment exactement sa révolte s'estompa pour laisser place à une exquise langueur. Lentement, son corps se détendit et vint se blottir contre celui de son agresseur. Enfin soumise, elle se laissa aller à son baiser, avide de volupté. Elle sentait jusqu'au tréfonds d'elle-même l'insupportable mais délicieuse morsure du désir. Une même passion les torturait à présent et les jetait l'un contre l'autre, éperdus.

— Lee, Lee, gémit-il, abandonnant un instant ses lèvres pour parsemer son cou de baisers fiévreux, pourquoi m'as-tu fait souffrir ainsi, pourquoi ?

A ce moment-là, on frappa à la porte de la chambre voisine. Surpris, ils retinrent leur souffle et se figèrent, l'oreille aux aguets. A nouveau, les coups se firent entendre.

— Madame Whitney ? appela la voix lointaine de Freda.

Soudain, Kesley lâcha Lee et saisit un drap de bain qu'il enroula autour du corps de la jeune femme.

— Il faut aller ouvrir, ordonna-t-il. Lee ?

Incapable de reprendre ses esprits, Lee fixait Kesley d'un regard égaré.

— Lee, pressa-t-il, vous m'entendez ? Allez ouvrir...

Docilement, elle se laissa pousser dans la chambre et alla ouvrir la porte.

— Ah, madame Whitney ! s'exclama Freda, visiblement soulagée. J'ai cru pendant un instant qu'il vous était arrivé quelque chose. Vous m'avez fait peur...

— Non, tout va bien, répondit Lee, essayant d'affermir sa voix faible. Je prenais un bain... Vous désiriez me parler ?

— Oui, reprit la gouvernante, préoccupée, sauriez-vous par hasard où se trouve M. Roberts ? M. Vendisi vient d'arriver, vous comprenez, et il s'impatiente.

— Je vois, répondit Lee en essayant de réprimer le fou rire qu'elle sentait monter en elle. Eh bien, non, je n'ai pas vu M. Roberts mais il ne devrait pas tarder à réapparaître...

— Je l'espère bien, s'exclama Freda en fronçant les

sourcils. M. Vendisi n'était pas très content de voir que personne n'était là pour l'accueillir. Enfin...

Elle fixa soudain Lee d'un regard curieux.

— Vous sentez-vous bien, madame Whitney? Vous êtes toute rouge! J'espère que vous n'avez pas pris un bain trop chaud, c'est dangereux, vous savez...

— Je sais, répondit Lee, luttant pour conserver son sérieux.

Elle salua Freda et referma doucement la porte. Qu'aurait pensé la digne gouvernante si elle avait su que Kesley se trouvait dans sa salle de bains? Egayée par cette idée, Lee sourit et courut rejoindre Kesley.

— M. Vendisi est arrivé, dit-elle avec un sourire, contemplant avec tendresse la silhouette masculine adossée à la porte de la salle de bains.

— Je sais, j'ai entendu, coupa-t-il en passant devant elle sans lui adresser un regard. Je descends; prenez votre temps pour vous préparer, je dois d'abord discuter de certaines choses en privé avec lui. Nous nous retrouverons pour l'apéritif.

Lee le suivit d'un regard incrédule tandis qu'il sortait. Quelques minutes plus tôt, il était le plus tendre et le plus passionné des hommes et, à présent, il la traitait comme si rien ne s'était passé... Le seul nom de Vendisi avait opéré une transformation brutale de son attitude, lui faisant oublier tout ce qui n'était pas son invité, y compris elle.

Longtemps après le départ de Kesley, Lee resta debout dans la salle de bains désertée, immobile, plongée dans de sombres pensées. Une fois de plus, il avait réussi à briser ses défenses, à lui faire perdre la tête, et maintenant elle se retrouvait à son point de départ, seule, humiliée... Quand donc apprendrait-elle à lui résister, à écouter la voix de la raison? Son amère expérience ne l'avait pas rendue plus prudente, cela était certain. Lentement, elle s'approcha de la fenêtre de la chambre, laissant son regard errer sur la nappe scintillante de l'océan, indifférente à la beauté du paysage qui s'offrait à ses yeux. Rien n'avait changé... Elle haïssait toujours Kesley, d'autant plus peut-être qu'elle se savait vulnérable à son charme maintenant. Il lui fallait laisser libre cours à sa haine, c'était le seul moyen de retourner la situation en sa faveur. M. Vendisi était arrivé... Pourquoi ne suivrait-elle pas son plan initial ? Rien ne l'empêchait de décider brusquement, le lendemain par exemple, que le bureau d'import-export ne l'intéressait finalement pas. Elle pressentait d'instinct que Kesley attachait une énorme importance à la conclusion positive de cette affaire ; mais sans elle et les capitaux de l'entreprise Whitney, il ne pouvait rien ! Et elle le lui ferait dûment sentir, dès ce soir ! Rassérénée, elle se dirigea d'un pas décidé vers la garde-robe et entreprit de choisir une toilette pour le dîner.

Lee s'arrêta un instant en haut des escaliers et jeta un coup d'œil dans le salon au-dessous d'elle. De son poste d'observation, elle pouvait voir sans être vue. Elle aperçut Kesley à sa place favorite, appuyé nonchalamment au manteau de la cheminée. Il avait troqué ses vêtements de l'après-midi contre un sévère costume de soirée noir, éclairé d'une chemise blanche qui faisait ressortir le hâle de sa peau. Il s'adressait à ce moment à un homme brun, installé dans un profond fauteuil de cuir. Elle ne pouvait voir le visage de l'invité car il lui tournait le dos. Affalée sur les coussins du canapé, une jeune femme blonde, vêtue d'une robe moulante rouge vif écoutait leur conversation.

Lee descendit silencieusement les escaliers et s'avança vers eux. Elle avait pris un soin tout particulier à sa toilette et savait, sans en tirer aucune vanité, qu'elle était très en beauté ce soir-là avec sa robe longue de velours bleu roi qui intensifiait le bleu plus clair de ses yeux. Un collier de saphirs scintillait à son cou et elle avait choisi de relever ses cheveux en un gracieux chignon romantique. Cependant, elle n'avait pas anticipé l'effet qu'elle produisit en apparaissant. Kesley leva les yeux du verre qu'il tenait et se figea en l'apercevant. La jeune femme blonde ouvrit de grands yeux où se reflétaient l'admiration et l'envie.

— Eh bien, que vouliez-vous dire, continuez... pressa l'homme qui tournait le dos à Lee. La pêche n'est pas mon sport favori mais je dois avouer que...

Sentant que Kesley ne l'écoutait plus, il s'interrompit et se tourna pour suivre la direction de son regard.

— J'espère ne pas être en retard, dit enfin Lee, rompant le silence qui s'était abattu sur le salon.

Harry Vendisi fut le premier à réagir. Lourdement, il se leva de son fauteuil et s'avança vers Lee.

— En retard? Mais vous plaisantez! J'attendrais bien toute ma vie pour voir une femme comme vous!

Lee détailla avec perplexité le personnage qui lui serrait la main. Des cernes noirs accentuaient la pâleur malsaine de son visage et la tapageuse élégance de son complet veston ne parvenait pas à dissimuler un embonpoint plus que naissant.

— Eh bien! fit-il en se tournant d'un air accusateur vers Kesley. Vous ne m'aviez pas dit que vous étiez marié! Remarquez, je vous comprends. Si j'avais une femme aussi belle, je l'enfermerais à double tour de peur qu'on ne me la vole!

Embarrassée, Lee chercha instinctivement le regard de Kesley. Celui-ci comprit sa gêne et vint se poser à ses côtés, l'entourant d'un bras protecteur.

— Vous vous trompez, Harry, je ne suis pas marié. Je vous présente Mme Whitney.

Les yeux de Harry Vendisi s'arrondirent de surprise.

— Alors, vous êtes...

Il ne put compléter sa phrase tant il était abasourdi.

— Lee, je vous présente M. Vendisi, continua imperturbablement Kesley avant d'entraîner Lee vers la jeune femme blonde. Et voici Miss Boby Schwartz...

Lee faillit éclater de rire. C'était vraiment trop

comique ! Tous les personnages types d'un mauvais film de gangsters étaient réunis ; Harry, le gangster, Boby, la maîtresse du gangster... Il ne manquait plus que deux sinistres gardes du corps en faction à la porte du salon ! Luttant pour conserver son sérieux, elle serra la main de la jeune femme et s'assit à ses côtés sur le canapé.

— Alors, c'est vrai ? demanda Boby d'une voix faussement enfantine. Vous êtes vraiment madame Whitney, la fameuse madame Whitney de San Francisco ?

— Fameuse, je ne sais pas, mais je suis bien en effet madame Whitney, opina Lee, un peu gênée.

— Vous dirigez vraiment votre compagnie toute seule ? intervint Harry en se rasseyant.

— Seule, non, pas vraiment, puisque je suis aidée par mes collaborateurs, répondit modestement Lee.

Cette réponse sembla beaucoup soulager Harry.

— A la bonne heure ! s'exclama-t-il. J'avais peur que vous ne soyez une de ces femmes qui veulent absolument se mêler de choses auxquelles elles ne comprennent rien ! Vous avez dû amener un de vos assistants avec vous, où est-il ? Je n'ai pas de temps à perdre...

— Avec une femme ? suggéra doucereusement Lee, sans se départir de son sourire poli. Désolée de vous décevoir, monsieur Vendisi, mais c'est moi, et moi seule qui prend les décisions importantes à la Whitney.

Elle s'interrompit pour prendre le verre que Kesley lui tendait. En rencontrant son regard, elle crut y lire une lueur d'approbation amusée.

— Bien sûr, reprit-elle calmement en se retournant vers un Harry médusé, avant de commencer une négociation, je prends toujours l'avis de mes collaborateurs. Pour en venir à l'affaire qui nous concerne, monsieur Vendisi, j'ai étudié le dossier que mon service de marketing a dressé sur votre compagnie, La Vendar, et j'ai remarqué que, malgré le chiffre d'affaires considérable effectué au cours des dernières années, vos bénéfices ont inexplicablement diminué depuis le mois de janvier dernier. Comment l'expliquez-vous ?

— C'est à cause de l'inflation, bafouilla Harry, visiblement mal à l'aise.

Il était de toute évidence stupéfait de la manière directe, presque brutale, dont Lee le mettait sur la sellette et ne savait plus quelle attitude adopter.

— L'inflation est notre problème à tous, intervint Kesley d'un ton léger, mais ce soir, je voudrais que mes invités oublient leurs problèmes et se détendent. Passons à table, voulez-vous, le dîner est prêt. Harry, je sais que vous n'êtes pas un fanatique de pêche mais pourquoi n'irions-nous pas essayer d'attraper quelques saumons, demain matin ?

Avec une habileté consommée, Kesley réussit à détendre l'atmosphère et à entraîner Harry, d'abord morose, dans une conversation animée sur la pêche en haute mer. Il en parlait avec un tel enthousiasme que même Lee, qui ne manifestait aucun intérêt pour ce sport, l'écoutait avec plaisir. Quand le dessert arriva sur la table, elle en était presque venue à souhaiter attraper un saumon, elle aussi.

— Pendant que nous serons à la pêche, ces dames pourront prendre des bains de soleil au bord de la piscine, entendit-elle soudain Kesley déclarer.

Dépitée, Lee essaya de se convaincre que, de toute façon, elle n'avait jamais eu la moindre envie d'aller à la pêche. Quant à Boby, elle l'imaginait mal piquant un ver de terre sur un hameçon, avec ses ongles peints d'un rouge écarlate d'une longueur impressionnante !

— Ah, j'aime mieux ça, s'exclama cette dernière avec soulagement. J'ai justement besoin de bronzer un peu ! Vous aussi, ajouta-t-elle en se tournant vers Lee, vous êtes toute blanche.

— Je suis bien trop occupée pour avoir le temps de prendre des bains de soleil, rétorqua sèchement Lee. De toute façon, ma peau est très fragile et je bronze difficilement, reprit-elle plus doucement, regrettant son mouvement d'humeur.

— Moi aussi, fit Boby, mais il faut s'exposer très graduellement, vous savez...

Suivit un long exposé sur la meilleure manière de bronzer sans prendre de coups de soleil que Lee écouta avec impatience. Combien de temps pourrait-elle supporter cette perruche ?

Après le dîner, Kesley proposa à Harry une partie de billard et ils descendirent tous dans la salle de jeu. Là, Kesley prit un instant Lee à part.

— Je sais que vous êtes une femme d'affaires brillante, Lee, mais n'en faites pas trop. Harry est très misogyne...

— Eh bien, tant pis pour lui ! Je ne vais pas jouer à la femme effacée pour lui faire plaisir, croyez-moi !

Sans laisser à Kesley le temps de répondre, Lee s'installa aux côtés de Boby sur le banc réservé aux spectateurs. Elle regarda pendant quelques minutes les deux hommes jouer, mais son esprit était ailleurs. Elle essayait de deviner dans quelle mesure exactement Kesley avait besoin d'elle pour parvenir à son but, l'acquisition conjointe du bureau d'Harry Vendisi. Avant de venir à Madrona elle avait demandé à l'un de ses collaborateurs d'effectuer une petite enquête à Vancouver pour déterminer l'importance exacte de la société des frères Roberts. Les renseignements obtenus l'avait rassurée sur leur solvabilité sans vraiment satisfaire sa curiosité. Elle savait simplement qu'ils n'avaient pas de dettes et qu'ils étaient respectés par leurs concurrents. Mais il n'était pas possible que Kesley, ambitieux comme il l'était, se contente d'un seul succès. Il devait nourrir de grands projets pour l'avenir et avait maintenant les moyens de les mener à bien. Cependant, pour acquérir la propriété de M. Vendisi, il lui fallait un partenaire, elle en l'occurrence. Et elle, en retour, avait besoin de lui, car Harry répugnait visiblement à traiter avec une femme, aussi experte fût-elle en matière d'affaires.

— Oh, Harry ! Mais que fais-tu ? s'exclama soudain Boby à ses côtés.

Surprise par le ton désolé de sa voisine, Lee reporta son attention sur le tapis vert où achevaient de s'éparpiller les boules colorées. Apparemment, Harry n'avait pas réussi à marquer un point. Boby aurait mieux fait de se taire, car Harry lui jeta un regard venimeux.

— Et alors ? Tu peux faire mieux, par hasard ? gronda-t-il.

Boby se recroquevilla sur elle-même.

— Non, bien sûr que non, admit-elle d'une voix plaintive. Je... Je voulais juste t'encourager, c'est tout...

— Vraiment ? Eh bien, épargne-moi tes encouragements ! coupa-t-il avec hargne.

La partie continua. Le visage d'Harry s'assombrissait de plus en plus et Lee devina qu'il était en train de perdre honteusement. Il transpirait abondamment. Kesley, au contraire, ne perdait pas une once de son sang-froid, remarqua Lee en le suivant des yeux tandis qu'il se concentrait sur un coup particulièrement difficile. Elle eut soudain l'inexplicable désir de passer sa main dans ces cheveux noirs pour en sentir l'épaisseur bouclée. Pourquoi ? s'interrogea-t-elle, décontenancée. Sans doute parce que Kesley était le seul homme à l'avoir approchée durant toutes ces années de solitude. Bizarrement, elle s'imagina ensuite caressant la tête de Maitland et cela la fit sourire. Elle imaginait mentalement l'air choqué qu'il prendrait. De toute façon, les cheveux blonds et mous de Maitland n'auraient jamais pu l'attirer.

La partie s'acheva sur une brillante victoire de Kesley.

— Maintenant, jouons la revanche, s'obstina Harry, furieux de sa défaite.

— Je crois que nos spectatrices commencent à s'ennuyer, objecta Kesley en cherchant le regard de Lee.

Celle-ci lut dans ses yeux qu'il la pressait d'abonder dans ce sens, sans qu'elle parvienne à comprendre pourquoi. Néanmoins, elle obéit à cet appel muet et se leva, disant :

— Eh bien, je ne connais rien au billard, mais vous êtes deux professionnels, c'est évident.

Tout en parlant, elle adressa à Harry un sourire faussement admiratif.

Celui-ci hésita pendant quelques secondes puis se résigna et remit sa canne dans le ratelier.

— Je manque d'entraînement, s'excusa-t-il, évitant de regarder Boby, mais je vous promets que je battrai Kesley à plate couture avant de quitter cette île !

Ponctuant cette résolution d'un froncement de sourcils, il se dirigea vers le banc des spectateurs.

— Mais bien sûr, Harry, le rassura Boby en se levant.

Harry ne lui accorda pas un regard et s'inclina devant Lee avant de lui offrir son bras. Elle ne put que l'accepter et ils se dirigèrent vers les escaliers, laissant derrière eux une Boby mortifiée et au bord des larmes. Pauvre Boby, pensa Lee, elle avait dû avoir une vie bien difficile pour tomber dans les filets d'un rustre comme Harry. Elle le suivait comme un petit chien, obéissait au moindre de ses ordres et il ne manquait pas une occasion de l'humilier en public. Pourquoi ne se révoltait-elle pas ?

Enfin, ils se retrouvèrent tous réunis au salon.

— Bien, fit Lee, je crois que je vais me coucher à présent. Je suis un peu fatiguée...

— Pas question ! s'interposa Kesley. Prenons tous un dernier verre avant de nous séparer pour la nuit.

Et sans attendre de réponse, il prépara un verre de brandy pour chacun d'entre eux.

— Harry, à notre revanche! lança-t-il ensuite en levant son verre.

— Oui, c'est ça, à notre revanche, répéta Harry d'un air mauvais.

Il renversa la tête et vida son verre d'une seule rasade.

— Demain, nous verrons qui est le meilleur, continua-t-il, toujours aussi maussade. Bonsoir.

D'un signe de tête impérieux, il ordonna à Boby de la suivre et sortit. Celle-ci contempla un instant le verre auquel elle n'avait pas encore touché puis le posa et trotta à la suite de son protecteur, adressant un timide sourire d'excuses à Kesley et à Lee qui la regardaient sortir éberlués.

— Vous avez vu comme il la traite! s'indigna Lee. Et elle ne se défend même pas...

Visiblement amusé par sa réaction, Kesley eut un geste d'impuissance.

— Qu'y pouvons-nous? Boby est peut-être amoureuse de lui ou bien elle aime être dominée. Qui sait?

Lentement il s'approcha de Lee et s'arrêta devant elle, la couvant d'un regard moqueur et complice à la fois.

— Vous savez, certaines femmes aiment vivre à l'ombre d'un homme. Mais ce n'est pas votre cas, n'est-ce pas?

Hypnotisée, Lee le vit tendre la main pour caresser son visage. Au contact de ses doigts, un long frisson la parcourut. Il fallait qu'elle repousse cette main, qu'elle échappe à la fascination qu'il exerçait sur elle, mais ses jambes refusaient de bouger. L'air autour d'eux vibrait d'une tension électrique. Elle tenta de protester mais les mots se figèrent dans sa gorge.

— Kesley, je... parvint-elle enfin à murmurer.

Mais, tout en prononçant ces quelques mots, elle ne savait déjà plus ce qu'elle voulait lui dire. Comme dans un rêve, elle le vit incliner son visage sur elle et au lieu de détourner la tête, elle entrouvrit les lèvres et alla à la rencontre du baiser, accueillant avec reconnaissance la pression exigeante de ses lèvres chaudes sur les siennes. Automatiquement, ses mains se nouèrent autour du cou musclé et elle s'abandonna avec impatience à l'appel de la passion.

— Lee, je t'aime, gémit-il avec désespoir. Je t'en supplie, reste avec moi ce soir. Cela fait si longtemps...

Oui, cela faisait si longtemps que Lee n'avait pas éprouvé cette euphorie, cet exquis tourment des sens...

Soumise, elle se laissa aller contre Kesley qui la souleva de terre et la porta dans ses bras jusqu'aux escaliers.

Si longtemps... Ces mots résonnèrent dans l'esprit de la jeune femme tandis qu'ils gravissaient les marches. Qu'avait-il voulu dire au juste ? Non, ce n'était pas possible, ce ne pouvait pas être... Sans doute n'avait-il pas aimé une femme depuis son veuvage, un an auparavant. Le souvenir de l'épouse de Kesley détruisit en une seconde l'euphorie de Lee. Qu'était-elle en train de faire ? Ne savait-elle donc pas que Kesley était incapable d'être fidèle à une seule femme et qu'elle ne serait pour lui qu'une aventure passagère ? Comment pouvait-elle l'accepter ?

Quand Kesley la déposa légèrement devant la porte de sa chambre, elle lui fit face et déclara froidement.

— Merci pour cette soirée très intéressante. Bonsoir.

La surprise fit bientôt place à la rage dans les yeux que Kesley posait sur Lee.

— Quoi ? gronda-t-il. Ne me dites pas que vous allez rejouer la même comédie que l'autre soir ?

— Je ne sais pas ce que vous entendez par comédie riposta-t-elle, mais je sais que je n'ai rien à faire d'une aventure d'un soir.

— Ce n'est pas ce que vous pensiez il y a quelques minutes, siffla-t-il.

Et, d'un geste brutal, il attira Lee contre lui.

— Mais que vous faut-il pour consentir à dire oui ?
Le mariage ?

Se sentant faiblir au contact du corps chaud de
Kesley, Lee se raidit et le repoussa.

— Que voulez-vous, je suis un peu vieux jeu, tenta-
t-elle de plaisanter en poussant la porte de sa chambre.

Dès qu'elle fut à l'intérieur, elle referma précipitamment la porte et s'adossa au battant, l'oreille aux
aguets. Kesley allait-il essayer d'entrer ? Elle attendit
quelques minutes puis, rassurée, se dirigea à pas lents
vers sa coiffeuse. Le miroir lui renvoya l'image d'une
jeune femme pâle aux yeux anormalement brillants.
Qui avait donc inventé le terme : « les yeux pleins
d'étoiles » ? songea-t-elle ironiquement. Les siens
l'étaient peut-être quand elle avait dix-huit ans mais à
présent, aucune étoile n'obscurcissait plus sa lucidité.
Elle était physiquement attirée par Kesley, elle ne
pouvait le nier, mais elle avait abandonné tout espoir
de bonheur conjugal avec lui. Kesley avait beaucoup de
succès auprès des femmes et il s'accordait de nombreuses aventures mais sans jamais s'attacher à qui que
ce soit. Il était le parfait exemple de l'homme moderne,
profitant de la nouvelle liberté des mœurs pour satisfaire ses désirs sans pour autant se charger de responsabilités. Mais Lee n'était pas moderne dans ce sens-là.
Pour elle, rien ne pouvait remplacer une relation
fondée sur la confiance mutuelle et le respect de l'autre.
Comment pouvait-on se satisfaire d'une brève passade,
de quelques jours ou de quelques mois, avant de
s'abandonner à une autre ?

Ruminant ces pensées, Lee fit une rapide toilette et
alla se coucher. Mais le sommeil semblait lui échapper.
Les rideaux entrouverts laissaient filtrer dans la chambre la blanche lumière de la lune. Il devait être très
tard. Pour occuper son esprit, Lee essaya d'imaginer ce
que serait sa vie si elle épousait Maitland. Une vie

stable, paisible, oui, mais monotone, dénuée de passion. Mais n'était-ce pas préférable ? La passion n'apportait que souffrance et regrets, en définitive. Cependant, serait-elle capable d'oublier, avec Maitland, l'exaltation de tout son être qu'elle éprouvait dès que Kesley posait la main sur elle.

Tourmentée par ce dilemme, Lee se tournait et se retournait sans répit dans son grand lit. Pourquoi Susan, la femme de Kesley, ne l'avait-elle jamais accompagné à Madrona ? se demanda-t-elle soudain. Si elle l'aimait, elle aurait dû apprécier ces courts séjours dans le calme de l'île où ils auraient pu se retrouver, se consacrer l'un à l'autre. Mais pourquoi toujours penser à l'amour ? se réprimanda Lee avec lassitude. Pourquoi y attachait-elle tellement d'importance ? Ne valait-il pas mieux envisager la vie sous un jour plus pratique, plus raisonnable et lier son existence à une personne en fonction de la logique, de la compatibilité des intérêts ? Pourquoi ne se décidait-elle pas à épouser Maitland ? Avec lui, sa vie prendrait enfin un cours définitif, orienté vers la sérénité et la paix. Et peut-être, avec le temps, oublierait-elle enfin combien Kesley lui avait fait battre le cœur...

Le lendemain matin, un épais brouillard pesait sur l'île quand Lee se leva. Elle ne s'en inquiéta pas, sachant d'expérience qu'il se lèverait au cours de la matinée. Comme Madrona, San Francisco connaissait aussi ces matins d'été brumeux. Mais les autres invités n'étaient pas aussi optimistes et, quand Kesley proposa de partir à la pêche en bateau, au cours du petit déjeuner, Harry se récria.

— Par ce temps, vous n'y pensez pas !

— Le brouillard se sera déjà dissipé quand nous serons prêts à partir, le rassura Kesley. Et il y a justement un banc de saumons en ce moment au large de l'île. Avec un peu de chance, nous mangerons du poisson, ce soir au dîner !

— Je n'aime pas beaucoup le poisson, intervint Boby d'une voix plaintive.

— Attendez d'en avoir pêché un vous-même, vous verrez comme vous le mangerez de bon cœur ! lui répondit Kesley d'un ton d'indulgence amusée.

Quelque chose dans sa voix fit dresser l'oreille à Lee. Vivement, elle leva les yeux et observa Boby. Celle-ci était vêtue d'un polo rayé qui mettait en valeur ses courbes généreuses. Il se dégageait d'elle une sorte de fraîcheur innocente qui devait beaucoup plaire aux hommes, et Kesley ne faisait sans doute pas exception. Consternée, Lee s'aperçut qu'elle était jalouse. Mais s'agissait-il vraiment de jalousie ? Elle avait eu plus d'une fois l'occasion de devenir la maîtresse de Kesley depuis son arrivée à Madrona, et si elle ne s'était pas rendue à ses avances c'était justement pour échapper aux tourments de la jalousie. Car, avec un homme volage comme Kesley, la jalousie serait au rendez-vous, tôt ou tard... Peut-être était-elle tout simplement agacée par Boby, par sa mollesse et son manque de fierté. Comment pouvait-on, à notre époque, accepter de vivre avec un homme comme Vendisi ? Boby n'avait-elle vraiment pas trouvé d'autre moyen de se procurer un toit et un chèque mensuel ?

Lee s'aperçut soudain que trois paires d'yeux la dévisageaient sans qu'elle sache pourquoi. A la lueur moqueuse qui brillait dans ceux de Kesley, elle devina qu'il lui avait posé une question à plusieurs reprises et que, plongée dans ses pensées, elle ne l'avait pas entendue.

— Excusez-moi, murmura-t-elle, confuse, qu'avez-vous dit ?

— Je disais que vous devriez venir avec nous, répéta Kesley. Vous verrez, c'est très amusant d'attraper un poisson !

Lee fronça les sourcils. Kesley ne lui demandait pas si

elle souhaitait les accompagner, il lui ordonnait presque de venir.

— Non merci, refusa-t-elle sèchement, la pêche ne m'attire pas.

— Comment pouvez-vous dire cela si vous n'avez jamais pêché ? demanda-t-il avec bon sens.

Pourquoi insistait-il tellement ? se demanda Lee, curieuse. Peut-être voulait-il l'avoir près de lui quand il sortirait des eaux un beau saumon, pour qu'elle l'admire et l'applaudisse. Eh bien, dans ce cas, elle les accompagnerait en espérant avec ferveur que les poissons dédaigneraient la ligne de Kesley pour se précipiter sur celle d'Harry ! Cela la réjouirait beaucoup de voir Kesley mortifié.

— Entendu, je viendrai avec vous, accepta-t-elle remerciant d'un sourire Freda qui venait de poser devant elle un œuf à la coque et une assiette de toasts beurrés. Où se trouve votre bateau ? Je ne l'ai pas vu jusqu'ici...

Kesley sourit, comme s'il avait deviné qu'elle aurait aimé avoir un bateau à sa disposition pour pouvoir s'échapper de Madrona.

— Il est ancré de l'autre côté de l'île, l'informa-t-il.

Lee n'aurait jamais trouvé le bateau toute seule, sans guide, découvrit-elle tandis qu'ils marchaient à travers les arbres serrés de la forêt pour rejoindre l'autre côté de l'île. Le brouillard, en se dissipant, prêtait une beauté presque magique aux alentours, et Lee se sentit émue malgré elle. Le silence matinal n'était troublé que par les exclamations découragées de Boby, derrière Lee, qui trébuchait régulièrement sur une racine d'arbre et s'en plaignait bruyamment à Harry. Lee accéléra le pas et rejoignit Kesley, qui guidait la marche, pour échapper à l'irritation qui la gagnait devant la conduite puérile de l'agaçante Boby. Ils arrivèrent bientôt en bordure de la plage où était amarré le bateau de pêche. Lee s'arrêta, admirant la délicate beauté de la baie sous la lumière naissante du soleil.

— C'est beau, n'est-ce pas? dit soudain la voix de Kesley derrière elle.

Surprise, elle se tourna vers lui et fit un signe d'assentiment.

— Oui, c'est très beau, répondit-elle à voix basse, consciente de la soudaine intimité qu'ils partageaient dans la contemplation du paysage.

— Je savais que cela vous plairait, murmura-t-il, et vous allez beaucoup aimer la pêche, je vous le promets.

Il semblait anxieux de lui faire partager les choses qu'il aimait, que ce soit un sport ou un paysage, et heureux de son approbation. A ce moment-là, Harry et Boby les rejoignirent, visiblement épuisés.

— Où est ce bateau de malheur? grogna Harry. Kesley, vous auriez dû nous dire que vous nous emmeniez pour une véritable expédition. Boby a les pieds en sang à force de trébucher sur les racines.

— Nous y sommes presque, l'apaisa Kesley en prenant le sentier escarpé qui descendait vers la plage. Le bateau est ancré dans la crique voisine.

Lee s'effaça pour laisser passer Harry et Boby avant de se mettre en marche. Elle remarqua que Boby portait des sandales à talons hauts et lanières fines qui n'offraient aucune protection. Il n'était pas étonnant qu'elle eût de la difficulté à marcher!

Les pensées de Lee revinrent inexorablement à Kesley tandis qu'elle descendait lentement le sentier escarpé. Il adorait son île, c'était évident. Sans doute sa femme ne partageait-elle pas ses goûts. Peut-être ne s'entendaient-ils pas? Susan avait-elle été au courant des aventures de son mari? Avait-elle fermé les yeux par amour ou par indifférence? Lee penchait pour la seconde solution. Si leur mariage avait été heureux, pourquoi Kesley aurait-il été tenté de chercher la tendresse hors de son foyer? Lee s'aperçut soudain que, sans connaître Susan, elle prenait instinctivement le parti de Kesley et lui cherchait toutes sortes d'excuses. Que lui arrivait-il? Voulait-elle vraiment se convaincre que Kesley n'était pas l'homme qu'il semblait être, que seules les circonstances de sa vie et d'un mariage malheureux l'avait poussé à mener une vie dissolue? La réponse était oui. En en prenant conscience, une irrésistible onde de joie la traversa. Il lui semblait que son cœur s'éveillait, tendre et frais, d'un long hiver.

Mais, tout aussi subitement, son émerveillement disparut pour faire place au désespoir. Non, ce n'était pas possible, elle n'aimait pas Kesley, elle ne pouvait pas l'aimer... Autrement, à quoi rimaient les sept années de solitude, de reniement, qu'elle avait passées? Accablée, Lee s'appuya à la barrière de l'appontement où elle avait suivi ses compagnons. Son malaise était si intense qu'elle se sentit vaciller, les oreilles bourdonnantes. Elle ne devait pas perdre sa lucidité ou elle était perdue... En excusant la conduite de Kesley, elle se leurrait volontairement. Il était veuf à présent, mais cela ne changeait rien à la situation. Marié ou non, Kesley était et serait toujours un Don Juan, un séducteur sans foi ni loi? Allait-elle aveugler sa conscience, piétiner sa fierté, sa droiture, pour obéir à cet élan physique qui la poussait irrésistiblement vers lui? Il l'attirait comme un puissant aimant. En ce moment, par exemple, elle le voyait s'activer sur le pont du bateau et toutes les fibres de son corps se tendaient désespérément vers lui, souhaitant sa présence, sa voix, son regard.

Comme s'il avait deviné qu'elle l'observait, Kesley se tourna vers elle et, voyant son expression, lui cria:

— Que se passe-t-il, Lee? Vous vous sentez mal?

Elle se redressa, craignant qu'il ne devine son trouble et répondit paisiblement:

— Non, absolument pas. Pouvons-nous partir à

présent ? La pauvre Boby à l'air de souffrir déjà du mal de mer.

Elle l'observa tandis qu'il tournait la tête vers Boby. Celle-ci, pâle, se cramponnait à la barrière de l'appontement tout en essayant de mettre un pied sur le pont oscillant du bateau. Mais Lee se souciait fort peu de Boby. Elle ne voyait que le cou musclé de Kesley, ses larges épaules, le pli ferme et décidé de sa bouche. Elle l'aimait, pensa-t-elle avec résignation, contre toute raison, elle l'aimait. Mais elle ne le lui laisserait jamais deviner, décida-t-elle en acceptant son bras pour sauter d'un bond souple sur le pont du bateau.

— Harry n'a qu'à s'occuper de Boby, lui déclara-t-il avec indifférence.

Cependant, durant toute l'excursion, ce fut lui qui entoura Boby d'attentions et de conseils. Il lui apprit à se servir de sa canne à pêche, riant des cris de joie enfantins que la jeune femme poussa quand elle sentit un poisson mordre à l'hameçon. Harry veillait sur sa propre canne à pêche, à l'autre extrémité du bateau, et ce fut Kesley qui aida Boby à tirer sur le pont un petit saumon d'une livre. Irritée, Lee leur tourna le dos et reporta toute son attention sur la pointe de sa propre canne à pêche, souhaitant la voir frémir brusquement. Elle aurait voulu capturer un monstre marin, un saumon d'un poids record pour le plaisir de voir Kesley ouvrir de grands yeux envieux. Elle l'avait observé tandis qu'il donnait à Boby des instructions sur la manière de jouer avec le moulinet pour ramener la capture au bateau et elle était sûre de pouvoir se débrouiller seule. Soudain, un léger frémissement agita sa ligne et elle ne put s'empêcher d'appeler Kesley.

— Ce n'est probablement qu'un paquet d'algues, l'avertit-il sans quitter Boby.

— Des algues ? s'offusqua-t-elle, et comment le savez-vous ?

— Je vois d'ici que la ligne est tendue mais elle reste

immobile, expliqua-t-il avec un amusement qui offensa profondément Lee. Si un poisson avait mordu à l'hameçon, vous le sentiriez bondir pour se libérer.

Vexée, Lee se renfrogna et actionna le moulinet pour ramener l'hameçon à elle. Kesley avait eu raison, seule une masse gluante d'herbes marines alourdissait sa ligne. Kesley ne fit aucun commentaire en l'aidant à préparer un nouvel appât mais Lee brûlait d'humiliation rageuse devant son silence indulgent. Boby avait réussi, malgré sa maladresse, à prendre un saumon en moins d'une heure. Pourquoi n'y réussirait-elle pas, à son tour ?

Elle remercia sèchement Kesley en rejetant sa ligne à l'eau et, voyant qu'il ne se décidait pas à partir, lui asséna un cinglant :

— Je peux me débrouiller seule maintenant, merci.

Il lui jeta un regard surpris puis, sans répondre, partit s'occuper de ses lignes, plus loin. Déjà, Lee regrettait son mouvement d'humeur mais la froideur était le seul moyen qu'elle connaissait pour se défendre de l'irrésistible fascination qu'il exerçait sur elle. Soupirant, elle se remit à surveiller sa canne à pêche. Le lent balancement du bateau la plongea bientôt dans un engourdissement rêveur. Seul le clapotis des vagues sur la coque de l'embarcation immobile rompait le grand silence de cette matinée ensoleillée. Lee se prit à imaginer comment se serait déroulée cette expédition si Kesley et elle avaient été seuls sur le bateau. Se seraient-ils vraiment absorbés dans la surveillance des cannes à pêche ou Kesley l'aurait-il entraînée vers la cabine, sous le pont ? Dans son esprit engourdi, elle voyait défiler des images de leurs deux corps enlacés, nus sous le soleil... Un claquement métallique la fit revenir à la réalité. Affolée, elle vit sa canne fléchir et se tendre alternativement. Et maintenant, que devait-elle faire ?

— Kesley ! appela-t-elle. Venez vite !

Immédiatement, il accourut à ses côtés et saisit la canne agitée de soubresauts nerveux.

— C'est une grosse prise, Lee! s'exclama-t-il, enthousiaste. Reprenez la canne à pêche et sentez comme le poisson se débat.

— Non, refusa-t-elle, apeurée.

— Prenez la canne, insista-t-il.

Il attira Lee contre lui et lui plaça d'autorité la canne dans les mains, restant près d'elle pour l'assister. Instinctivement, Lee commença à actionner le moulinet. Ils virent soudain le reflet brillant du poisson sautant hors de l'eau dans un ultime effort pour se libérer. Une dure bataille s'engagea. Suivant les instructions de Kesley, Lee tirait et laissait filer alternativement la ligne de nylon, cherchant à épuiser sa capture. Enfin, le poisson abandonna la lutte et se laissa attirer jusqu'au flanc du bateau. Quelques instants plus tard, il était dans les mains de Kesley qui le jeta sur le plancher du pont. Sa taille impressionnna Lee. Comment avait-elle réussi à ramener à l'embarcation un tel monstre? Elle vit soudain Kesley prendre une gaffe et l'abattre sur la tête du saumon.

— Non! cria-t-elle, horrifiée.

Il était déjà trop tard. Assommé à mort, le poisson gisait sans vie sur les planches.

— Fantastique, Lee! exultait Kesley. Voilà un saumon d'au moins cinq kilos!

La fierté d'avoir réussi une si belle prise dissipa le dégoût de Lee. Néanmoins, elle évita de regarder la dépouille de sa victime quand Harry et Boby, alertés par les cris de Kesley, se groupèrent en un cercle admiratif autour du saumon.

— Eh bien, vous n'avez pas perdu votre journée, la complimenta Harry, visiblement jaloux. Après cette prise, ce n'est même plus la peine de mettre d'autres lignes à l'eau. Nous ferions aussi bien de rentrer à la maison.

— Bonne idée, approuva Kesley avec une facilité qui surprit Lee.

Il se dirigea vers la cabine et mit le moteur en marche. Puis, bloquant le gouvernail sur la direction de la côte proche, il revint près d'eux et s'agenouilla pour ôter l'hameçon de la gueule du saumon.

— Vous avez toujours autant de chance ? demanda sombrement Harry en se tournant vers Lee.

Le ton mi-envieux, mi-méprisant de cette question déplut souverainement à Lee mais elle se força à répondre calmement :

— Je ne sais pas, monsieur Vendisi, je ne fais jamais confiance à la chance ou au hasard dans mon travail.

— Kesley m'a dit que vous dirigiez seule votre compagnie, reprit-il, mais je trouve cela difficile à croire. Une belle femme comme vous doit bien avoir au moins un homme pour faire le travail à sa place.

— Monsieur Vendisi, si vous le pensez, je ne vais pas me donner la peine de vous détromper, rétorqua Lee en lui décochant un regard glacial. Avec un misogyne comme vous, je perdrais mon temps...

— Que voulez-vous dire ? demanda agressivement Harry, ses petits yeux se rétrécissant encore sous l'effet de la colère.

— Vous m'avez bien comprise. Vous croyez que les femmes ne sont bonnes qu'à préparer les repas et repriser les chaussettes de leur mari...

— Vous oubliez qu'elles doivent aussi garder le lit chaud pour leur époux, compléta Harry avec une répugnante arrogance. Mais peut-être croyez-vous pouvoir vous passer des hommes sous cet aspect-là également...

— Harry, la vie privée de Lee ne regarde qu'elle-même, intervint fermement Kesley. Elle est venue à Madrona pour parler affaires, et affaires seulement.

Harry avait dû sentir la menace qui couvait sous la

voix de Kesley ou peut-être n'était-il pas vraiment intéressé par cette discussion : il battit en retraite.

— D'accord, d'accord. Excusez-moi. Je ne suis pas habitué à traiter affaires avec une femme, c'est tout. Mais puisqu'il faut en passer par là, finissons-en le plus vite possible.

— Quand vous voudrez, Harry, opina Kesley. Ce soir par exemple, après le dîner ?

— Parfait, accepta Harry.

Sur ces mots, il leur tourna le dos et rejoignit Boby qui prenait un bain de soleil sur l'autre bord. Kesley leva alors les yeux vers Lee.

— Je suis désolé de cet incident. Si vous voulez, nous pouvons laisser tomber toute l'affaire.

— Laisser tomber toute l'affaire ? s'étonna Lee, stupéfaite, en fixant Kesley d'un regard perplexe. Mais je croyais que vous y teniez beaucoup...

Il haussa les épaules.

— Avec ou sans elle, nous survivrons ! fit-il avec une désinvolture calculée.

— Nous n'avons pas encore discuté de la Frantung, lui rappela doucement Lee.

Il sembla comprendre le sens caché de ces mots, en l'occurrence que, grâce à la Frantung, il existait toujours une possibilité d'expansion pour la compagnie des Frères Roberts.

— C'est vrai, nous n'en avons pas encore parlé, fit-il distraitement.

Lee devina qu'à ce moment-là, il pensait à bien autre chose qu'à la Frantung.

6

Le retour s'effectua dans un silence tendu. Même Boby semblait avoir perdu tout entrain et oubliait de se plaindre quand son pied heurtait une racine sur le sentier qu'ils suivaient pour la seconde fois ce jour-là.

Lee, de son côté, s'interrogeait. Pourquoi s'était-elle avancée jusqu'à faire comprendre à Kesley qu'elle lui cèderait la Frantung ? N'était-elle pas venue à Madrona pour la lui refuser ? Et cet après-midi, sur le bateau, elle la lui avait apportée « sur un plateau d'argent »... Elle se sentait étrangement vide à présent, vide de l'amertume qui l'avait rongée pendant toutes ces années et la disparition subite de ce sentiment la déconcertait. L'amour avait-il toujours cet effet-là sur les gens ? Elle-même était pourtant réputée pour sa tête froide, son intransigeance... Non, tentait-elle de se raisonner, j'essayais simplement de remercier Kesley d'avoir pris ma défense contre Harry.

Ils pénétrèrent dans la maison par la baie coulissante du salon. Lee, encore éblouie du soleil qui brillait à l'extérieur, distingua deux ombres près de la cheminée juste avant d'entendre l'exclamation de surprise de Kesley.

— Enfin, Kesley ! fit une voix que Lee reconnut immédiatement. Ce n'est pas trop tôt ! Nous attendons ton retour depuis midi !

— Mais, Dorothy, objecta Kesley, si j'avais su que vous veniez, je serais allé vous chercher à l'aéroport.

Dorothy ! La belle-sœur de Kesley, la femme qui avait chassé Lee de cette fameuse chambre d'hôtel, sept ans auparavant !

— Parlons-en, en effet, reprit la voix aigre. Il était impossible de te prévenir, nous avons décidé de cette visite ce matin seulement. A propos, Kesley, tu devrais renvoyer ce Geoffrey, le jeune homme qui conduit la vedette. Sais-tu qu'il a d'abord refusé de nous emmener jusqu'à l'île ? Quand je lui ai dit que nous en étions les propriétaires, il...

— Propriétaires, oui, mais d'une petite partie seulement... l'interrompit Kesley. J'ai donné des instructions à Geoffrey pour qu'il n'amène jamais personne à Madrona sans mon accord préalable. Il est donc bien normal qu'il ait refusé de vous embarquer puisqu'il ne vous a jamais vus auparavant...

— Peu importe, il s'est montré grossier à notre égard, déclara préremptoirement Dorothy qui n'avait visiblement pas l'habitude d'être contredite.

Tandis que Kesley saluait son frère, qui lui ressemblait de façon stupéfiante, Dorothy examina avec intérêt les invités de son beau-frère. Ses yeux s'arrêtèrent brusquement sur Lee. Allait-elle la reconnaître ? Elle n'avait pas perdu la mémoire, comme Kesley, et elle n'avait certainement pas oublié leur rencontre... Si elle avait identifié Lee, elle n'en fit rien paraître et se borna à murmurer une formule de politesse quand Kesley les présenta l'une à l'autre. A ce moment-là, Harry, qui n'aimait pas rester au second plan, s'avança, traînant Boby dans son sillage.

— Oh ! Monsieur Vendisi ! s'exclama Dorothy d'une voix haut perchée qui cherchait sans doute à être aimable. Je suis si heureuse de vous rencontrer ! C'est-à-dire, mon mari et moi sommes si heureux... corrigea-t-elle précipitamment. Nous avons tellement entendu parler de vous...

— Vraiment ? demanda Harry, fronçant les sourcils.

— Je voulais dire, Kesley nous a tellement parlé de vous, balbutia Dorothy, consciente de l'impair qu'elle venait de commettre. J'ai appris que nous allons peut-être reprendre votre bureau de Vancouver. Quelle bonne nouvelle ! Notre compagnie grandit si vite que j'ai du mal à suivre son expansion, finit-elle, feignant la modestie.

— Ce ne doit pourtant pas être encore trop difficile, remarqua Harry, narquois.

— Nous ne savons pas encore si l'entreprise Whitney, en coopération avec la compagnie Roberts, est intéressée par l'offre de M. Vendisi, intervint Lee, voulant faire taire Dorothy avant qu'elle ne compromette définitivement les futures négociations. Nous nous sommes réunis pour étudier sa proposition et voir si nous pouvons parvenir à un accord satisfaisant pour toutes les parties.

— Et les premières discussions commencent ce soir, compléta Kesley. Mais, avant tout, il nous faut nous restaurer. Lee, croyez-vous que votre saumon suffira à rassasier six personnes ?

— J'en suis sûre, le rassura Lee en lui rendant son sourire.

Du coin de l'œil, elle vit que Dorothy les observait d'un air soupçonneux.

— Je ne crois pas vous avoir présenté mon frère, continua Kesley en l'attirant vers celui qui était presque son sosie.

— Enchanté de vous rencontrer, madame Whitney.

Même la voix avait le même timbre. Cependant, malgré l'extrême ressemblance physique, Paul ne possédait ni l'énergie ni l'assurance de Kesley. Ses yeux n'étaient que douceur sombre et Lee se sentit immédiatemment attirée par lui. Cependant, cette attirance n'avait rien à voir avec ce qu'elle éprouvait pour Kesley. Paul éveillait plutôt en elle un sentiment que l'on pouvait qualifier de maternel. Il était faible et rêveur ; elle avait envie de le protéger.

Un peu plus tard, tandis qu'elle prenait un bain pour détendre son corps courbatu des exercices de la journée, Lee essaya de comparer ce qu'elle éprouvait pour Kesley avec les sentiments qu'elle avait ressentis à l'égard de Fletcher, son mari. Elle avait aimé Fletcher comme une fille aime un père indulgent, mais c'était tout. Kesley, au contraire, lui ouvrait les portes d'un monde inconnu, lui révélait qu'il existait en elle une passion qu'elle avait toujours ignorée. Avec Kesley, elle se sentait femme. Il pouvait lui apporter beaucoup, mais pas ce dont elle avait besoin, la sécurité d'un amour fidèle, partagé. Déprimée par ces considérations, Lee sortit de son bain et passa un peignoir avant de s'installer devant la coiffeuse pour brosser ses longs cheveux blond vénitien. Un léger grattement à la porte de la chambre lui fit tourner la tête dans cette direction. Avant que la jeune femme ait eu le temps de répondre, la porte s'ouvrit brusquement et la silhouette de Dorothy se découpa dans l'encadrement.

—Vous avez besoin de quelque chose, madame Roberts ? s'enquit sèchement Lee, irritée par cette grossière intrusion.

Dorothy plaqua un sourire faux sur ses lèvres et referma la porte derrière elle d'un geste décidé avant de s'avancer dans la chambre.

— C'est exactement ce que j'étais venue vous demander, répondit-elle avec une amabilité feinte. Après tout, je suis la maîtresse de cette maison depuis que Su... que la femme de Kesley est morte, et je tiens à ce que mes invités soient à l'aise.

— Je croyais que l'épouse de Kesley ne venait jamais sur l'île, remarqua ironiquement Lee. Elle n'a donc pas dû jouer à la maîtresse de maison, du moins pas ici.

— C'est exact, admit Dorothy tout en jetant un coup d'œil intéressé dans la garde-robe ouverte, Susan n'aimait pas Madrona. Elle était pleine de vie, vous comprenez, elle se serait ennuyée dans un trou comme celui-ci. Pauvre Susan, c'est une chance finalement qu'elle ait été tuée sur le coup dans cet accident. Elle n'aurait jamais supporté d'être confinée dans une chaise roulante. Elle était très belle, vous savez, continua-t-elle en s'approchant de la coiffeuse. Kesley l'adorait, comme tous les hommes d'ailleurs, et il ne se pardonnera jamais d'avoir été la cause de sa mort...

La main de Lee marqua une pause tandis qu'elle brossait ses longs cheveux.

— Vous semblez avoir beaucoup aimé Susan, remarqua-t-elle d'un ton neutre.

— C'est bien naturel, répondit Dorothy avec un petit rire aigre. Nous étions cousines. Nous avons toujours été très proche l'une de l'autre, malgré la différence d'âge. Mes parents nous ont élevées ensemble ; les siens trouvèrent la mort dans un accident de voiture. C'est étrange, d'ailleurs, réfléchit-elle à voix haute en se dirigeant vers la fenêtre, elle est morte dans les mêmes circonstances que ses parents. Heureusement, elle n'a pu s'en rendre compte, puisqu'elle a été tuée sur le coup. Elle me confiait souvent qu'elle était terrorisée par l'idée de la mort...

Irritée par cette conversation morbide, Lee posa sa brosse sur la coiffeuse et observa son image dans le miroir. Se traits semblaient avoir pris une douceur toute nouvelle et sa bouche avait perdu le pli dur qui la pinçait, jusqu'à ce jour. Même ses yeux s'étaient adoucis... L'amour était-il la cause de cette soudaine transformation ? En tout cas, l'effet en était flatteur, remarqua-t-elle distraitement en son for intérieur. Elle n'avait pas eu cet éclat depuis...

La voix aigre de Dorothy interrompit ses pensées.

— Kesley ne se remariera jamais, disait-elle. Oh,

bien sûr, il a certains besoins, comme tous les hommes et il aime beaucoup les femmes, mais il ne bâtira jamais une relation durable...

— Vous semblez essayer de me faire comprendre quelque chose, madame Roberts, fit Lee, impatiente, en se tournant vers Dorothy. Pourriez-vous aller droit au but ?

Elle vit soudain Dorothy la fixer d'un air de stupéfaction incrédule.

— Mon Dieu, ce n'est pas possible, s'exclama-t-elle, détaillant la masse de cheveux dorés entourant le visage de Lee et ses épaules blanches révélées par le décolleté de son peignoir. Vous êtes... cette fille ? Celle de San Francisco...

Lee se redressa et soutint le regard scrutateur de Dorothy. Que lui importait à présent d'être reconnue par celle qui l'avait chassée de la chambre d'hôtel de San Francisco ? Grâce à Fletcher et à sa fortune, elle ne craignait plus personne à présent, et on ne pouvait plus la traiter inconsidérément, comme Dorothy avait traité la jeune fille timide et apeurée de dix-huit ans...

— C'est exact, je connaissais Kesley, il y a quelques années, admit-elle dédaigneusement. A l'époque, vous n'aviez pas à vous mêler de nos affaires, pas plus que maintenant. En quoi les aventures de Kesley peuvent-elles vous importuner ? Je n'avais aucune intention de l'épouser quand nous nous connaissions à San Francisco, et je n'ai pas changé d'avis sur cette question-là. Mais il me semble que votre ingérence dans la vie privée de votre beau-frère, maintenant, comme par le passé est plus qu'indiscrète... En quoi le remariage éventuel de Kesley peut-il vous préoccuper ?

— Mais vous ne comprenez pas, s'écria Dorothy, visiblement affolée en accourant aux côtés de Lee et en lui saisissant le poignet. Il était de mon devoir de vous séparer, à l'époque. Susan traversait une... période très pénible de sa vie, cette année-là, et Kesley commençait

114

à avoir des aventures. Vous êtes une femme d'affaires vous-même, vous devez comprendre que la compagnie Roberts aurait souffert s'ils avaient divorcé... Kesley aimait Susan, j'en suis sûre, mais... Elle était très difficile à vivre parfois et lors de ces périodes délicates, les hommes sont souvent tentés d'établir des relations avec d'autres femmes... Kesley pensait avoir fait une erreur en épousant Susan. Mais...

Lee se leva soudain pour se réfugier à bonne distance, près du lit. Elle aurait voulu presser ses mains contre ses oreilles pour ne plus entendre ce torrent d'explications. Dorothy essayait d'excuser la conduite de Kesley et Lee ne voulait pas en savoir plus. C'était bien différent d'imaginer elle-même des circonstances atténuantes pour Kesley et de les entendre prononcer à voix haute par une autre personne.

— Ecoutez, dit-elle avec impatience, les problèmes de votre beau-frère ne m'intéressent pas et je ne vois pas pourquoi vous vous en mêlez. Pourquoi ne vous occupez-vous pas de vos propres affaires, de votre vie, de votre mari ? Il est directeur adjoint de la compagnie Roberts, il doit donc avoir beaucoup de responsabilités et...

— Paul ? s'exclama ironiquement Dorothy. Il est incapable de lire un bilan !

Son visage prit une étrange expression de fierté protectrice tandis qu'elle parlait de son mari.

— Il aurait dû être un artistre, un peintre ou un écrivain... Il n'a aucun sens des affaires et ne vaut rien au poste de directeur où Kesley l'a placé. Quelquefois, je me demande pourquoi Kesley le garde dans la compagnie... Paul n'est pas un homme pratique comme lui, c'est un rêveur...

— Kesley pense peut-être qu'il y a une place pour les rêveurs dans le monde des affaires, remarqua Lee. Ils peuvent trouver des idées nouvelles, offrir le fruit de leur imagination afin que des hommes plus pratiques, plus terre à terre, les exploitent.

Elle-même avait engagé plusieurs de ces « rêveurs » dans son personnel et s'en était félicitée. Plusieurs des meilleures opérations de la Whitney avaient été proposées par eux.

— Vous comprenez, j'ai peur que Kesley ne comprenne bientôt que Paul n'est finalement qu'un poids mort dans l'entreprise et ne le congédie. Il peut être très dur, vous savez, même avec son frère... finit-elle si tristement, que Lee ne put s'empêcher d'éprouver de la compassion pour cette femme qui menait son mari par le bout du nez, le rabaissait, mais ne l'en aimait pas moins profondément.

— Si Kesley était aussi dur que vous le dites, il se serait débarrassé de Paul depuis longtemps, remarqua-t-elle avec bon sens. D'autre part, il ne lui aurait jamais donné le poste qu'il occupe en tout premier lieu, s'il n'avait pas jugé que Paul pourrait lui être utile.

Dorothy jeta un regard calculateur dans sa direction.

— C'est vraiment ce que vous pensez? demanda-t-elle.

— A vrai dire, je parle de choses qui ne me regardent pas, répondit prudemment Lee.

— Peut-être que si... si vous épousez Kesley, elle vous concerneront... Je le connais bien, et il ne m'a pas fallu plus de deux minutes pour comprendre qu'il était très attiré par vous, beaucoup plus que par n'importe quelle femme depuis la mort de Susan. Je crois que ses sentiments n'ont pas changé depuis... San Francisco.

Lee retint un soupir d'exaspération. Elle pouvait lire les pensées de Dorothy aussi facilement que si elles avaient été écrites sur son front. Celle-ci craignait que Kesley se remarie, surtout avec Lee. La fusion des deux compagnies aurait amené d'importants remaniements du personnel et Lee aurait pu pousser Kesley à se débarrasser des services de son frère. Mais à présent, elle s'était montrée compréhensive à ce sujet, et Dorothy voulait s'en faire une alliée.

— Kesley ne se rappelle même pas de moi. Il a perdu mon souvenir dans l'accident qui a tué votre cousine. Je ne lui ai pas dit que nous nous étions rencontrés par le passé, et j'aimerais que vous vous taisiez également sur ce sujet.

— Kesley a perdu la mémoire ? s'exclama Dorothy, bouche bée. Il ne m'en a jamais rien dit...

— Je suppose qu'il n'est pas obligé de tout vous dire... rétorqua Lee, agacée.

— Non, c'est vrai, admit Dorothy. Il est très secret... Il ne voulait même pas que Susan se confie à moi, quand ils étaient mariés. Pourtant, Dieu sait que la pauvre Susan avait besoin d'une oreille compatissante...

Cette allusion aux infidélités de Kesley était plus que claire mais Lee feignit de ne pas la comprendre et garda le silence.

Elle se leva et, réajustant la ceinture de son peignoir, remarqua :

— Si vous voulez bien m'excuser, je dois me préparer maintenant, ou je serai en retard pour le dîner...

— Oh... Bien sûr, je comprends, fit Dorothy en se dirigeant vers la porte.

Elle-même était déjà prête ; elle avait revêtu une longue robe de crêpe bordeaux qui dissimulait, grâce à de nombreuses fronces, la sécheresse de sa silhouette.

Arrivée à la porte, elle se retourna vers Lee et ajouta, d'un ton d'humilité irritante :

— Je suis si contente que nous soyons devenues amies. Si vous et Kesley vous mariez un jour, j'en serai très heureuse... Vous pouvez compter sur mon appui...

Son appui ! pensa sarcastiquement Lee quand Dorothy disparut. Si Kesley et sa femme avaient eu des problèmes conjugaux, et quel couple n'en avait pas, Dorothy n'avait certainement pas arrangé les choses en s'immisçant entre eux... Si jamais elle épousait Kesley, la dernière personne à laquelle elle se confierait serait bien sa belle-sœur !

Lee secoua la tête avec irritation quand cette pensée lui traversa l'esprit. « Si jamais elle épousait Kesley »... Mais il n'en était même pas question, pas plus que par la passé ! Susan avait accepté de lier sa vie à celle d'un Don Juan, mais Lee ne commettrait pas la même erreur. Elle savait qu'une telle union était vouée à l'échec. Elle était bien trop possessive, elle avait trop besoin de sécurité, de sentiments stables pour pouvoir supporter ses frasques. Si seulement il avait la souplesse de caractère de Maitland, par exemple... Maitland ! Elle n'arrivait même plus à se rappeler de ses traits... Mais cela ne voulait rien dire. Les hommes comme Maitland étaient le sel de la terre : honnêtes, travailleurs, pratiques... Et très ennuyeux !...

Choquée par ses propres pensées, Lee se figea. Ennuyeux... Bien sûr, Maitland ne possédait pas le charme de Kesley mais pourquoi lui infliger ce qualificatif peu flatteur ? La vertu était toujours décrite comme ennuyeuse, rébarbative ; Maitland n'aurait jamais été choisi pour faire la publicité d'une cigarette, par exemple, comme Kesley aurait très bien pu l'être. Mais la vie n'était pas une réclame... Non, Kesley n'était pas l'homme qu'il lui fallait...

Avant de descendre les escaliers, Lee se pencha sur la rampe de la galerie qui faisait le tour du salon, et jeta un coup d'œil au-dessous d'elle. Tous les fauteuils semblaient être occupés. Kesley se trouvait à sa place habituelle, adossé à la cheminée. Comme s'il avait deviné que Lee l'observait, il leva les yeux et rencontra son regard. Elle sentit ses jambes fléchir et oublia tout ce qui l'entourait. Elle éprouvait la même sensation que le matin précédent, avant de monter sur le bateau, quand elle avait compris qu'elle aimait Kesley et qu'elle n'aimerait jamais personne d'autre. Et elle savait maintenant, acceptant cette réalité avec résignation, qu'elle ne pourrait jamais épouser Maitland.

Rassemblant toute sa volonté, elle détourna les yeux et commença à descendre les marches. Elle ne voulait pas épouser Maitland et ne pouvait épouser Kesley. Le sort semblait avoir décidé que sa vie ne serait consacrée qu'à son travail. Cette pensée la découragea tellement qu'elle agrippa la rampe pour soutenir son pas défaillant. Mais elle se reprit bientôt et se redressa. Elle avait affronté seule des épreuves bien plus dures par le passé, et elle triompherait de celle-là. Malgré elle, elle remerciait Kesley de lui avoir procuré, sans le savoir, une grande force de caractère.

Il l'attendait au pied des escaliers. Personne ne les voyait encore car les dernières marches étaient dissimulées derrières un pan de mur. Son regard brillait d'une admiration sincère tandis qu'il levait cérémonieusement les deux mains pour l'accueillir, dans un geste qui aurait semblé ridicule chez tout autre que lui.

— Vous êtes toujours plus belle, la complimenta-t-il en admirant sa légère robe longue et blanche à fines bretelles, mais ce soir, vous êtes tout simplement éblouissante !

Le simple contact de sa main sur son bras nu donna la chair de poule à Lee. Elle sentit ses résolutions du moment précédent faiblir dangeureusement. Mais, soudain, elle se rappela qu'il avait dû faire le même compliment à sa femme, Susan, peut-être au pied des mêmes escaliers, admirant sa beauté avant de prendre son bras pour la conduire auprès de leurs invités. Elle avait dû beaucoup l'aimer, sinon pourquoi serait-elle restée avec lui, sachant qu'il avait de nombreuses aventures ?

Brusquement, Lee s'écarta de Kesley, et demanda froidement :

— Qu'advient-il de notre discussion avec Vendisi, ce

soir, maintenant que votre frère et votre belle-sœur sont là ?

En un éclair, Kesley agrippa son bras et la tira contre lui.

— Cessez de jouer les duchesses offensées ! grondat-il, les mâchoires crispées sous l'effet de la colère. Je me moque de ce que peut penser Vendisi si nous annulons les négociations de ce soir...

— Pas moi, riposta-t-elle vertement. C'est bien pour ces négociations que vous m'avez invitée à Madrona, n'est-ce pas ?

— Mais non, vous vous trompez, répondit-il avec une dangereuse douceur, je ne vous ai invitée que pour une raison, une seule raison...

Ses mains enserrèrent le cou de Lee, menaçant la délicate construction de son chignon.

— Celle-là, finit-il brutalement.

Et, baissant brusquement la tête, il lui prit les lèvres sans douceur aucune. Jamais il ne l'avait embrassée avec une telle violence, songea Lee, détachée de ce qui lui arrivait. Il semblait vouloir la punir en la blessant physiquement ; la manière dont il labourait la peau de son dos de ses ongles à travers la fine étoffe de sa robe en était la preuve. Indifférente à la douleur, elle sentait la morsure de ses lèvres et comprenait qu'il aurait été dangereux de se débattre. Son esprit était tellement vide qu'elle pouvait entendre le murmure des conversations, à l'autre bout du salon. Soudain, Kesley, sentant qu'elle ne répondait pas à sa violente passion, changea d'attitude et se mit à caresser avec douceur son cou et la naissance de ses épaules. L'effet fut immédiat. Lee sentit des sensations devenues désormais familières l'envahir. Lentement elle se détendit et se laissa aller avec délice à l'étreinte de Kesley. Toutes ses belles résolutions fondirent comme neige au soleil. Son esprit cessa de raisonner et laissa les rênes à ses sens pour répondre avidement au baiser de Kesley, fouettant

120

ainsi davantage encore le désir dont elle le savait possédé. Elle voulait se fondre en lui, ne plus jamais être privée de sa chaleur virile, s'abandonner tout entière entre ces mains douces et exigeantes à la fois. L'un contre l'autre, ils vacillèrent sous la force de leur passion mutuelle et il se détacha d'elle, le visage tendu par l'effort qu'il faisait pour se contrôler.

— De ma vie, je n'ai jamais autant détesté mon rôle de maître de maison, jura-t-il : il faut rejoindre les autres maintenant... Mais ce soir, après les discussions...

Il n'acheva pas sa phrase mais Lee comprit le message caché sous son silence.

— Je... Je serai dans ma chambre, répondit-elle, d'une voix que le trouble voilait.

Il lui semblait marcher sur un tapis de nuages tandis que Kesley, un bras possessivement passé autour de sa taille, l'entraînait vers le groupe des invités. Elle rencontra le regard de Dorothy posé sur elle et y lut de la curiosité mêlée à la contrariété. Peut-être se souvenait-elle du couple qu'avaient formé Susan et Kesley et en voulait-elle à Lee d'avoir pris la place de sa cousine ? Lee s'aperçut qu'elle se moquait de ce que pouvait penser les invités en la voyant pénétrer dans le salon appuyée à l'épaule de Kesley. Elle n'avait que faire de leurs avis. Elle aimait Kesley et elle allait le lui prouver ce soir, consciente de tous les risques qu'elle courait en s'engageant dans cette aventure. La douleur, l'abandon inéluctable de Kesley, elle était prête à tout affronter.

— Ah ! Vous voilà ! fit enfin Dorothy. Je me demandais ce qui vous retenait, tous les deux... Mais à vous voir, j'ai la réponse à ma question, conclut-elle aigrement en laissant glisser son regard sur le bras que Kesley tenait toujours autour de Lee.

— Si tu as d'autres questions, n'hésite pas à les poser, fit Kesley, narquois, avant de se tourner vers Lee pour lui demander ce qu'elle désirait boire.

— Du Sherry, répondit-elle, souriante.

— Vos désirs sont des ordres, plaisanta-t-il en se dirigeant à pas souples vers le bar.

Elle le suivit des yeux. Elle savait qu'elle était folle, téméraire, en décidant de lui céder, mais de longues années de solitude s'étendaient devant elle et elle voulait se souvenir, plus tard dans sa vie, d'une nuit où Kesley l'avait aimée, désirée... Lentement, elle s'assit sur le grand canapé de cuir faisant face à la cheminée.

— Je ne me sens pas très bien, se plaignit Boby, assise à ses côtés, en se tournant vers Harry qui semblait de fort mauvaise humeur. Je n'aurais pas dû aller en bateau, aujourd'hui, je le savais...

— Vous vous sentirez mieux après avoir bu quelque chose, la rassura doucement Lee, notant que malgré l'épaisseur du fard, Boby était en effet très pâle. Vous êtes encore un peu incommodée par le roulis du bateau, c'est normal ; l'effet met quelques heures à se dissiper...

— Ne parlez pas de roulis, supplia Boby, décomposée, en saisissant instinctivement le bras de Harry qui la repoussa abruptement.

— Pour l'amour de dieu, Boby, dit-il avec impatience, cesse de te plaindre. Voilà plusieurs heures que nous sommes sur la terre ferme, comment peux-tu encore avoir le mal de mer ?

Mais la pâleur de Boby ne diminua pas au cours du repas. Elle toucha à peine au saumon que Freda avait expertement cuisiné. Lee comprenait son peu d'appétit. Elle-même évitait de penser au moment où Kesley avait assommé le poisson car elle n'aurait pu avaler une bouchée de plus. Néanmoins, elle devait admettre que la chair du saumon était excellente et chacun, autour de la table, si l'on mettait à part Boby, semblait partager cet avis.

— Je n'ai jamais beaucoup pêché moi-même, annonça soudain Dorothy, mais j'ai toujours pensé qu'un homme devait éprouver une grande satisfaction à capturer le repas de sa famille.

— Un homme ? Pourquoi un homme seulement ? intervint Kesley. Ce poisson aurait pu être pêché par un homme, une femme, un enfant ou un vieillard, je m'en moque personnellement ; tout ce que je sais, c'est qu'il est délicieux.

Et il adressa un sourire complice à Lee avant de se replonger dans la dégustation du saumon. A ce moment-là, Lee surprit le regard perplexe que Harry posait alternativement sur elle et sur Kesley. Il se posait certaines questions, c'était sûr ; il essayait de deviner quel lien exactement les unissait. Et soudain, Lee fut prise d'un soupçon. Kesley, sachant le peu de bien qu'elle pensait des misogynes, n'essayait-il pas de l'amadouer par ses grandes déclarations sur l'égalité des hommes et des femmes ? Toute la tendresse et la prévenance de sa nouvelle attitude envers elle faisaient-elles partie d'un plan destiné à lui faire perdre sa méfiance, à l'apprivoiser en quelque sorte, pour mieux s'assurer le contrôle de la Frantung et du bureau d'import-export de Harry Vendisi ? Il la savait incapable de résister à son charme et entendait peut-être profiter de cette faiblesse... Soudain, Lee se sentit insupportablement seule, atterrée par la cruauté du monde des affaires qui était le sien... Elle ne s'offensait pourtant pas, d'habitude, du manque de scrupules des personnes qui le peuplaient, mais tous les accords qu'elle avait conclus par le passé ne concernaient que des marchandises, des propriétés... Cette fois, c'était de son cœur qu'il s'agissait. Kesley pouvait-il être si machiavélique ?

Juste à ce moment, il leva les yeux vers elle et soutint son regard avec une assurance déconcertante. Il semblait avoir deviné les doutes qui assaillaient Lee, son besoin désespéré de croire, de faire confiance. Ce moment de complicité silencieuse s'évanouit aussi rapidement qu'il était né, noyé dans le bruit des conversations. Lee fut surprise de la facilité avec laquelle elle répondit à une question de Dorothy.

— Oui, j'ai été élevée près de San Francisco. Mon père possédait une petite compagnie aérienne desservant les principales villes de la Californie. Il était pilote durant la dernière guerre mondiale et n'a jamais perdu sa passion pour les engins volants.

— Dieu merci, j'étais trop jeune pour être réquisitionné dans cette guerre stupide, intervint Harry. Mon père y est mort et pour quoi, je vous le demande ?

— Peut-être pour vous permettre de vivre dans un pays libre, lui rappela Lee.

— Je me sens mal, fit soudain Boby, repoussant son assiette encore pleine.

Elle se laissa aller contre le dossier de sa chaise et adressa un regard implorant à Harry.

— Harry, je me sens vraiment mal. Je vais monter dans ma chambre.

Harry ne répondit rien et se contenta de la suivre d'un regard irrité tandis qu'elle se dirigeait, tête basse, vers les escaliers.

— Peut-être devrais-je l'accompagner, suggéra Dorothy, soucieuse de son rôle de maîtresse de maison.

— Ce n'est pas la peine, assura Harry. Elle veut attirer l'attention sur elle, c'est tout, et je n'ai pas l'intention de jouer son jeu.

Une froide colère souleva Lee mais, avant qu'elle n'ait pu ouvrir la bouche pour intervenir, Kesley parlait déjà.

— Boby ne se sentait déjà pas bien sur le bateau, Harry. Vous devriez vous assurer si elle n'a besoin de rien.

— Je vous dis qu'elle va parfaitement bien, coupa Harry, fronçant les sourcils. A propos du bateau, elle ne voulait pas y aller, c'est vrai, et j'ai dû la forcer. Elle essaie juste de me prouver quelque chose, mais cela ne regarde que nous.

Au bruit que fit Lee en repoussant sa chaise, il se tourna vivement vers elle et la fixa d'un regard belliqueux.

— Je monte, déclara Lee. Je dois aller chercher mon attaché-case de toute façon, pour nos discussions d'après dîner. J'en profiterai pour demander à Boby si elle n'a besoin de rien.

Quatre paires d'yeux la suivirent tandis qu'elle traversait le salon, soulevée d'indignation. Pauvre Boby qui comptait moins pour Harry que le dernier de ses employés ! Pourquoi se laissait-elle traiter de cette manière ? L'esprit indépendant de Lee se révoltait en imaginant la vie qu'elle devait mener avec cette brute insensible. Arrivée au premier étage, Lee, ne sachant pas quelle chambre occupait Boby, frappa au hasard à une porte, puis, ne recevant pas de réponse, à une seconde. Là, son attente fut récompensée.

— Entrez, appela Boby d'une voix faible.

Lee découvrit Boby allongée sur un des lits jumeaux, mortellement pâle.

— Puis-je vous apporter quelque chose ? demanda doucement Lee, cherchant à cacher son inquiétude.

Boby semblait vraiment malade et même si Lee la méprisait un peu de mener la vie qu'elle vivait, elle ne pouvait s'empêcher de vouloir la protéger.

— Non, merci, je n'ai besoin de rien, répondit Boby, laissant rouler sa tête sur l'oreiller. Ce n'est pas la première fois que j'éprouve ce genre de malaise... Cela ira mieux demain matin...

Soucieuse, Lee suggéra d'appeler un docteur.

— Non ! Surtout pas ! se récria Boby, se redressant sur ses coudes. Harry déteste les docteurs et les gens malades.

— Vraiment ? Pourquoi faites-vous cela, Boby ?

Boby ouvrit des yeux surpris.

— Quoi donc ? demanda-t-elle.

— Pourquoi vivez-vous avec Harry dans ces conditions-là ? précisa Lee. Je sais que cela ne me regarde pas mais...

— Non, c'est vrai, soupira Boby. Je suppose que vous vous demandez pourquoi nous ne nous marions pas pour que notre union devienne légale...

Ce n'était pas du tout ce que voulait savoir Lee mais elle garda le silence.

— Harry veut m'épouser, continua Boby avec lassitude, sans remarquer le froncement incrédule des sourcils de Lee. Mais il ne peut divorcer de sa femme. Sa religion le lui interdit... Je sais que cela paraît bizarre, avec un homme comme Harry, mais c'est ainsi. Il a reçu une éducation très stricte, religieusement parlant, et le divorce lui apparaît comme un crime. De toute façon, cela m'est égal désormais si je ne l'épouse jamais. Quelle importance ? J'ai tout ce que je peux désirer...

Lee s'assit doucement au bord du lit et regarda Boby d'un air perplexe.

— Vous voulez dire que vous êtes heureuse de vivre comme vous le faites ? Et si Harry décidait brusquement de choisir une autre compagne, que feriez-vous ?

Une authentique stupéfaction se peignit sur les traits de Boby.

— Pourquoi me quitterait-il ? s'étonna-t-elle. Il m'aime... Et, croyez-moi si vous le voulez, il a encore plus besoin de moi, que moi de lui.

Irritée, Lee se mordit les lèvres. Comment pouvait-on discuter avec une femme aussi naïve, aussi crédule que Boby ?

— Et je suppose que vous l'aimez aussi, conclut-elle non sans un certain dédain.

— Bien sûr ! répondit Boby en esquissant un faible sourire. Vous devez avoir le même âge que moi, Lee, mais vous ignorez beaucoup de choses sur les rapports humains... Oh ! je sais, vous êtes une femme d'affaires, vous avez votre compagnie à San Francisco, je ne pourrais jamais faire le genre de choses que vous faites, mais je crois être un bon juge des caractères...

Un peu de couleur revint à ses joues et elle s'assit aux côtés de Lee, animée.

— Par exemple, ce Kesley... Il est fou de vous mais vous le traitez de haut, je l'ai bien vu... Vous repoussez un homme que toutes les héritières canadiennes et américaines aimeraient épouser. Mais je ne l'ai jamais vu s'attacher vraiment... « Chat échaudé craint l'eau », comme dit le dicton...

— Qu'entendez-vous par là ? murmura Lee.

— Vous ne saviez pas qu'il a été marié ?

— Si.

— Eh bien, voilà un mariage qui battait de l'aile ! Susan n'était pas faite pour Kesley, ni pour aucun autre homme, d'après ce que j'ai entendu... Elle était très belle, très distinguée, mais...

— Je n'ai pas envie de parler de la femme de Kesley, mentit Lee en se levant précipitamment.

En réalité, elle était dévorée de curiosité, elle aurait voulu tout savoir sur cette femme qui avait partagé la vie de Kesley, mais elle avait peur d'apprendre sur son compte des choses qui auraient pu excuser la conduite de Kesley. Admettre qu'elle aimait Kesley était une chose, lui pardonner en était une autre.

— Je ne vous crois pas, fit soudain Boby.

Stupéfaite, Lee se tourna vers le visage rond où brillaient deux yeux devenus soudain sérieux.

— Je vous ai observés tous les deux, vous savez, continua-t-elle, et je sais que vous êtes aussi amoureuse de lui que lui de vous...

7

— Voilà mon prix : c'est à prendre ou à laisser, conclut Harry en se laissant aller contre le dossier du fauteuil qu'il occupait à une extrémité du bureau de Kesley.

Puis, s'adressant à son hôte, comme il l'avait fait depuis le début des discussions, il reprit :

— Inutile de vous préciser que, quand la nouvelle que ma compagnie est à vendre au plus offrant sera connue à Vancouver, les amateurs ne manqueront pas !

Lee bouillait de colère. Non seulement le prix avancé par Harry pour sa compagnie était ridiculement haut mais, durant toutes les négociations, il s'était adressé uniquement à Kesley, comme s'il la jugeait incapable de comprendre un traître mot de ses discours. Il savait pourtant qu'elle était la directrice d'une compagnie très importante, mais le seul fait qu'elle soit une femme lui ôtait toutes ses chances d'apparaître à ses yeux comme un interlocuteur valable.

Kesley croisa les mains et s'installa plus confortablement dans son siège. Il avait écouté Harry avec son calme et son impassibilité coutumière, tandis que celui-ci lui exposait les avantages de posséder un florissant bureau d'import-export à Vancouver.

— Vous êtes fou, Harry, dit-il enfin d'une voix tranquille.

Lee tourna la tête vers lui et, malgré la douceur de sa voix, elle vit briller une lueur dure dans ses yeux. Elle comprit que le directeur de la compagnie Roberts n'avait pas fait prospérer son affaire grâce à sa gentillesse et sa malléabilité.

— La société Venmar vaut au maximum la moitié de la somme que vous avez avancée, reprit-il. Mais bien sûr, avant de continuer ces discussions, je dois consulter mon partenaire et décider quel prix exactement nous pouvons vous offrir...

— Bon, entendu, concéda Harry, réajustant nerveusement sa cravate. Bien que je ne comprenne pas pourquoi vous n'avez pas consulté votre frère en premier lieu, avant d'entamer ces négociations...

— Je ne faisais pas allusion à mon frère en parlant de partenaire, corrigea rapidement Kesley, en jetant un bref regard à Lee, mais à Mme Whitney. Lee représente ici la compagnie Whitney qui sera, si nous concluons l'affaire, l'actionnaire le plus important...

— Ecoutez, Kesley, je n'ai rien contre le fait qu'une femme assiste à nos discussions, mais vous ne pouvez pas l'inclure dans une décision si importante...

Il regarda Lee comme si elle était une enfant, incapable de suivre une conversation entre adultes.

— Les femmes ne sont pas faites pour cela... finit-il, comme s'il avançait une vérité première et incontestable.

— Non, feignit d'admettre Lee, notre intelligence, à nous les femmes, est si faible que nous ne pouvons nous consacrer qu'aux langes de nos enfants et à la poussière de nos meubles que vous, les hommes, nous offrez si généreusement...

Sa voix se durcit soudain.

— Si cela était vrai, monsieur Vendisi, l'entreprise Whitney ne serait encore qu'une médiocre compagnie de remorquage portuaire! C'est une femme qui l'a développée, enrichie, et en a fait le trust qu'elle est aujourd'hui... Moi, monsieur Vendisi! Et si vous vendez votre société ce soir, ce sera grâce à moi!

Elle jeta un rapide coup d'œil à Kesley, curieuse et inquiète à la fois de sa réaction à son violent discours. Il avait beaucoup plus à gagner qu'elle dans cette affaire. La Venmar n'était qu'un investissement de plus pour la Whitney mais il jouait son va-tout. Elle vit un léger sourire étirer ses lèvres et en fut étrangement soulagée.

— Voilà, Harry, vous savez tout, dit-il enfin en se levant pour indiquer que les discussions étaient closes. Lee et moi allons en parler et nous vous ferons savoir notre décision demain matin...

— Vous voulez mon opinion, Kesley? explosa Harry en s'extrayant avec difficulté de son fauteuil. J'admire un homme qui se laisse mener par le bout du nez par une femme! Cela signifie qu'il se moque de ce que penseront de lui les autres hommes, les vrais...

Sans laisser à Kesley le temps de répondre, il tourna les talons et sortit à grands pas du bureau, laissant derrière lui un nuage de fumée de cigare. Après son départ, le bureau sembla étrangement silencieux à Lee, et elle se tourna avec réticence vers Kesley, embarrassée malgré elle.

— S'il croit que les hommes ont besoin de se conduire comme des brutes pour prouver leur virilité, de nos jours... avança-t-elle.

Lentement, il s'approcha d'elle et lui offrit sa main pour qu'elle se lève.

— Je sais, dit-il doucement quand elle fut debout devant lui, plongeant son regard sombre et songeur dans le sien. Mais Harry ne le comprendra jamais...

Il inclina la tête et posa délicatement un baiser sur le cou de la jeune femme. Un long frisson la parcourut. Le simple contact de ses lèvres déchaînait les battements de son cœur. Déjà, elle sentait ses jambes fléchir, son souffle se figer dans l'attente du moindre geste de Kesley. Lentement, avec une douceur consommée il parcourut de ses lèvres le creux de son cou, la rondeur de ses joues, la finesse satinée de ses paupières, traçant une paresseuse mais voluptueuse trajectoire jusqu'à ses lèvres frémissantes qu'il prit impatiemment. Leurs bouches s'unirent passionnément cherchant l'une dans l'autre l'assouvissement du désir qui les tenaillait. Lee fit taire les objections de sa conscience et s'abandonna à la magie de ce moment, effleurant rêveusement de ses mains le contour ferme et musclé de ses épaules, de son cou, émerveillée du bonheur qu'elle éprouvait à sentir contre elle son long corps dur et souple à la fois.

— Kesley, je vous en prie, je... dit-elle enfin, haletante.

— Oui, je sais, l'apaisa-t-il en posant un dernier baiser sur son front, ce n'est ni le lieu ni le moment choisi... Tu me rends fou, Lee, gémit-il soudain, accablé.

Lentement, il desserra son étreinte et recula d'un pas, sans pour autant la lâcher du regard.

— Tu sembles toujours si froide, si indifférente... Mais, sous cette apparence, je suis sûr que se cache un feu brûlant...

Encore étourdie, Lee le repoussa doucement et se dirigea vers la porte. Elle exultait intérieurement en gravissant les escaliers. Elle l'aimait tellement, tellement... Le passé était mort et le futur, bien qu'encore vague, ne l'effrayait plus. Elle ne vivait que pour le présent, pour cette nuit où Kesley viendrait la rejoindre dans sa chambre pour la faire renaître à la vie, à l'amour...

Quelques minutes plus tard, une douche énergique dissipa un peu son euphorie. Malgré elle, son esprit se remit à raisonner, à calculer. Elle repensa aux négociations de la soirée. Kesley ne s'était pas montré très enthousiaste envers la proposition de Harry Vendisi. Peut-être n'avait-il pas un aussi grand besoin de cette compagnie d'import-export qu'elle l'avait cru. Ou bien avait-il d'autres projets, plus lucratifs, à l'esprit ? Quand ils avaient partagé ce fameux thé anglais sur la terrasse, le jour de son arrivée, ne lui avait-il pas fait comprendre qu'il allait se marier ? Il n'avait pas fait allusion à une date précise ou même à un nom, mais il avait déjà pris une décision.

Perplexe, Lee ferma le robinet de la douche et passa son peignoir après s'être séchée. Un futur époux se serait-il conduit de cette manière avec elle ? Etait-il possible qu'il envisage de l'épouser ? Cette pensée figea Lee au milieu de la salle de bains. Kesley ne se souvenait même pas de leur rencontre à San Francisco. Il ne croyait la connaître que depuis quelques jours... Dans ce cas, pourquoi songerait-il à l'épouser ? La réponse était évidente ! fulmina-t-elle en se dirigeant à grands pas vers sa coiffeuse où elle commença à défaire son chignon. Kesley avait déployé toutes les batteries de son charme pour conquérir non pas elle, mais ce qu'elle représentait, les entreprises Whitney... La Frantung, qu'il avait si avidement pourchassée du vivant de Fletcher, ne lui suffisait plus, il convoitait l'ensemble des possessions de Lee. Elle lui servirait de Sésame à une position de pouvoir presque illimitée. Ce n'était pas la première fois que Lee soupçonnait un homme de lui faire la cour dans un but intéressé, mais il s'agissait cette fois-ci de Kesley, Kesley qu'elle aimait... L'idée la blessait douloureusement. Et, fidèle compagne de l'humiliation, la rage s'installa en elle. Elle saisit sa brosse et démêla rageusement ses cheveux. Tout cela était de sa faute, se rappela-t-elle. Troublée par le souvenir de son amour de jeunesse, elle n'avait été que trop prompte à répondre aux avances de Kesley. Lui, de son côté, ignorait qu'elle avait perdu son enfant et n'était troublé d'aucun remords pour avoir gâché la vie de la jeune fille qu'il avait séduite, après tant d'autres.

Le sort était vraiment trop indulgent pour un homme de son espèce...

— Tu es très belle, fit soudain la voix de Kesley, toute proche.

Surprise, elle lâcha sa brosse qui tomba avec fracas sur la surface vitrée de la coiffeuse. Elle se tourna brusquement et vit Kesley, vêtu d'un peignoir de soie rouge, immobile sur le seuil de sa chambre. Pétrifiée, elle le vit s'avancer à pas lents dans sa direction et ne put s'empêcher de penser qu'il était vraiment l'archétype de la virilité avec ses cheveux noirs encore humides de la douche, sa haute silhouette élégante, la discrète ombre bleutée qui assombrissait ses joues fraîchement rasées.

— Kesley, je... balbutia-t-elle.

— Chut! Ne dis rien, l'arrêta-t-il en posant un doigt apaisant sur ses lèvres. Je sais que tu es en train de penser à nous et je veux que tu saches une chose! Tu n'es pas pour moi une passade, une simple aventure. Je t'aime, Lee, et je veux t'épouser...

Ses mains glissèrent lentement le long du dos de Lee et se refermèrent sur sa taille.

— J'ai attendu longtemps pour trouver une femme comme toi, Lee, continua-t-il, pensif; tu es tout ce dont j'ai toujours rêvé.

Lee réprima un fou-rire nerveux à ces paroles mais le regard qu'elle adressa à Kesley n'était en rien amusé. Kesley semblait sincère pourtant mais en disant qu'elle était l'objet de ses rêves et de ses désirs, n'entendait-il pas qu'il avait toujours voulu épouser une femme aussi riche et puissante qu'elle?

— Eh bien? demanda Kesley en souriant. Tu es toujours aussi longue à te décider quand on te demande en mariage?

Lee vit l'occasion qu'il lui offrait inconsciemment et la saisit.

— Non, répondit-elle sarcastiquement, car je suis

toujours à peu près sûre des motifs qui poussent mes courtisans à me demander en mariage. Ils sont toujours beaucoup plus attirés par les bénéfices de la Whitney que par mes charmes personnels...

Kesley se raidit instantanément et ses yeux se glacèrent.

— Et selon toi, je suis comme eux ? articula-t-il lentement.

Haussant les épaules, Lee se dégagea de son étreinte et s'éloigna de quelques pas. Kesley la suivit attentivement des yeux, immobile.

— Je ne sais pas, avoua-t-elle honnêtement. Nous ne nous connaissons pas depuis très longtemps...

— Assez longtemps cependant pour savoir que tu me désires autant que je te désire, remarqua-t-il brutalement. Mais peut-être fais-tu passer tes désirs après ta chère Compagnie... A moins que le vieux Fletcher n'ait mentionné dans son testament que tu la perdrais si tu te remariais...

Furieuse, Lee lui fit face.

— Fletcher n'aurait jamais fait une telle chose... Il... Il voulait que je me remarie...

— Mais il t'a aussi conseillé de te méfier des loups aux dents longues... Comme moi, par exemple...

— Fletcher était comme...

— Un père ? coupa-t-il avec un ricanement moqueur. Je dirais plutôt un grand-père...

Lee retint une exclamation d'indignation. Ce n'était pourtant pas la première fois qu'on faisait allusion à la ridicule différence d'âge qui avait existé entre Fletcher et elle mais, venant de Kesley, cette raillerie la blessait profondément.

— Je crois que vous feriez mieux de sortir, dit-elle sèchement en lui tournant le dos.

— Vous avez tout à fait raison. Mais, avant de sortir de cette chambre, j'aimerais vous remercier... siffla-t-il hargneusement.

134

— Me remercier ? s'étonna-t-elle. De quoi ?

— D'avoir repoussé ma demande en mariage. Grand Dieu, et dire que vous auriez pu l'accepter ! L'idée me fait frémir, à présent... J'aurais épousé un trust, un terminal d'ordinateur ! Je ne fais pas souvent d'erreurs de jugement, mais avec vous, Lee, je me suis trompé d'une façon colossale...

Il fut interrompu par une série de coups violents à la porte.

— Kesley ! Kesley ! appelait Harry. Pour l'amour du ciel, réveillez-vous et aidez-moi !

Avant que Lee n'ait pu faire un geste, Kesley avait ouvert la porte, apparemment peu préoccupé de sa tenue : un simple peignoir court. Et il se trouvait dans la chambre d'une de ses invitées... De toute façon, Harry n'était pas en état de remarquer ces détails, comprit Lee en voyant son visage décomposé.

— Kesley, Boby est très malade, s'écria-t-il, pantelant. Il faut appeler le docteur, vite !

— D'accord, d'accord, le calma Kesley, mais il vaudrait peut-être mieux l'amener directement à l'hôpital. Peut-elle être transportée ?

— Transportée ? Mais elle souffre le martyre, Kesley ! gémit Harry.

— Si mon diagnostic est bon, cela ne vaut pas la peine d'appeler le docteur. Il faut la transporter à l'hôpital pour qu'elle puisse être opérée, raisonna Kesley.

Le visage habituellement rouge de Harry pâlit subitement.

— Opérée ? Oh ! Mon Dieu !

— Restez avec elle tandis que je m'habille et que je prépare le bateau, ordonna fermement Kesley en le poussant dans le couloir.

Puis, se tournant vers Lee :

— Vous devriez vous habiller aussi. Etant donné

l'état dans lequel se trouve Harry, il ne nous sera d'aucune utilité.

Lee inclina la tête en signe d'assentiment.

— De quoi Boby souffre-t-elle à votre avis? demanda-t-elle.

— L'appendicite, lui répondit-il brièvement avant de sortir à son tour pour regagner sa chambre. Dépêchez-vous, Lee, il faut la transporter d'urgence. Je vais téléphoner à l'hôpital pour les avertir de notre arrivée.

Il n'y avait pas de temps à perdre. Rapidement, elle passa un pantalon chaud et un chandail, attrapant au passage une veste de daim avant de se précipiter vers la chambre de Boby. Celle-ci était recroquevillée sous les draps, le visage mortellement pâle. Elle fut visiblement soulagée de voir apparaître Lee.

— Kesley prépare le bateau, l'encouragea Lee, et il a téléphoné à l'hôpital pour que tout soit prêt. Ne vous inquiétez pas, tout ira bien. En attendant, puis-je faire quelque chose pour vous?

Boby esquissa un faible sourire et désigna du menton Harry qui arpentait la chambre comme un lion en cage.

— Occupez-vous de lui, s'il vous plaît, murmura-t-elle. Il est bien pire qu'un père à la naissance de son premier enfant!

Lee s'étonnait encore de l'abnégation manifestée par Boby au milieu de ses souffrances quand Kesley fit irruption dans la chambre, vêtu d'un jean et d'une chemise écossaise sous un imperméable ciré. Il se dirigea immédiatement vers le lit et se pencha en souriant sur Boby.

— Quelle chance! plaisanta-t-il, je vais avoir l'honneur de porter la princesse jusqu'à son carrosse! Maintenant, je vais vous envelopper dans cette couverture et vous allez mettre vos bras autour de mon cou, d'accord?

Boby acquiesça faiblement mais ne put réprimer une grimace de douleur quand Kesley la souleva du lit. Sans perdre de temps, il se dirigea vers la porte, portant Boby, suivi de Harry et de Lee.

La traversée sembla un cauchemar à Lee. Veillant sur une Boby en proie au délire dans la minuscule cabine de la vedette, elle se reprochait de n'avoir pas insisté, plus tôt dans la soirée, pour que Boby fasse appeler un médecin. La crise aurait peut-être pu être évitée ainsi. Kesley avait immédiatement pensé à une crise d'appendicite mais il n'avait rien dit, rien fait. Lee savait qu'une appendicite enflammée pouvait être une chose très sérieuse.

Ils ne mirent que vingt minutes à atteindre l'île voisine, mais Lee aurait juré avoir passé des heures à essuyer le front ruisselant de Boby, à lui prodiguer des paroles d'encouragement qu'elle ne pouvait même pas entendre. Un soulagement immense l'envahit quand Kesley vint l'avertir qu'ils étaient arrivés.

— L'ambulance est là, l'informa-t-il en soulevant une Boby inconsciente du banc où elle était allongée et en remontant précipitamment sur le pont.

Lee le suivit et aperçut les infirmiers, portant un brancard, sur la jetée. Un grand poids tomba de ses épaules tandis qu'ils sanglaient Boby au brancard avant de la porter rapidement à l'ambulance qui attendait sur le quai.

Lee éprouva soudain le contrecoup de ces émotions et vacilla légèrement, les oreilles bourdonnantes. Immédiatement, elle sentit un bras musclé la soutenir et elle laissa aller quelques secondes sa tête sur l'épaule de Kesley.

— Vous croyez que tout se passera bien ? lui demanda-t-elle comme s'il était un oracle pourvu de toutes les réponses.

— Je l'espère, soupira-t-il. Je m'en veux de n'avoir pas pris le malaise de Boby plus au sérieux, ce soir, mais beaucoup de personnes souffrent de l'appendice sans qu'une crise ne se déclare jamais...

— Oui, mais Harry aurait dû s'inquiéter, lui, remarqua-t-elle. Boby souffrait depuis longtemps de ce genre de malaises, elle me l'a dit ; mais elle essayait de les dissimuler parce que Harry n'aime pas les gens malades !

Kesley eut la même réaction que Boby quelques heures plus tôt.

— C'est bien naturel, je pense, dit-il. Il l'aime et il a horreur de la voir malade parce qu'il a peur de la perdre...

— Vous avez déjà aimé quelqu'un au point d'avoir peur de la perdre ? questionna impulsivement Lee.

Elle regretta immédiatement de n'avoir pas su se taire. Bien sûr, il avait aimé sa femme, Susan, et il avait souffert de la perdre, d'autant plus qu'il avait été en partie responsable de sa mort.

— Oui, répondit-il brièvement en se détachant de Lee. Et je l'ai perdue...

A la lumière du clair de lune, elle le vit tourner son visage vers elle et l'observer pensivement.

— Il y a plus d'une manière de perdre la personne que l'on aime, mais vous ignorez tout de cela, n'est-ce pas, madame Whitney ?

Blessée par ces derniers mots, Lee fronça les sourcils. De quoi parlait-il ? De la douleur de voir mourir un être aimé... Ou du fait qu'elle avait repoussé sa demande en mariage ?

Kesley n'attendait pas de réponse de toute façon.

— Que faisons-nous maintenant ? demanda-t-il. Rentrons-nous à la maison ou allons-nous attendre avec Harry à l'hôpital ? A mon avis, il vaut mieux le laisser seul. Cela ne lui fera pas de mal de se tourmenter un peu, et de réfléchir. Il prend beaucoup trop Boby pour acquise...

— Bien, rentrons à la maison, décida Lee.

Elle suivit Kesley tandis qu'il s'installait au gouvernail de la vedette et mettait le moteur en marche.

Durant toute la traversée, elle se tint derrière lui, ne lâchant pas des yeux son dos puissant et la masse de ses cheveux noirs que la lune argentait. Pour combien de temps encore l'aurait-elle auprès d'elle, sous ses yeux ? Des larmes de tristesse brouillaient sa vue. Pourquoi avait-elle repoussé Kesley aussi sèchement avant que Harry ne vienne les interrompre ? Elle l'aimait pourtant, avec une force, une intensité qui l'effrayaient elle-même... Que lui importait que Kesley puisse être attiré par sa fortune ? Avec lucidité, elle prenait conscience des contradictions de sa personnalité. Sept ans plus tôt, son idéal de bonheur résidait dans un mariage paisible, une belle maison qu'elle décorerait avec goût, des enfants... Et même maintenant, ses idées n'avaient pas changé, elle tendait toujours vers ce bonheur simple et quotidien. Mais la déception, au départ de Kesley, avait été trop violente et avait emporté avec elle toute confiance, l'isolant dans la stérilité d'une vie bien ordonnée mais dédiée uniquement à son travail. Les yeux de Lee revinrent se fixer sur Kesley, songeurs. Leur enfant aurait eu six ans maintenant... Aurait-il aimé avoir un fils ? Il n'avait jamais eu d'enfant avec sa femme. Peut-être ne ressentait-il pas le besoin d'en avoir... Susan lui suffisait.

Susan... La femme belle, spirituelle, qu'il avait adorée... Mais qu'il n'hésitait pas à remplacer, dans son esprit, par la directrice des établissements Whitney ! Aussitôt, la froideur lucide de Lee prit le dessus. Elle redevint la soupçonneuse Mme Whitney, soucieuse de défendre ses intérêts contre les aventuriers qui peuplaient le monde des affaires. Mais Kesley avait-il vraiment la mentalité d'un aventurier ? Si son ambition était si grande, pourquoi avait-il montré si peu d'empressement et d'enthousiasme à convaincre Lee d'acheter la compagnie d'Harry Vendisi ? Lee se rappela l'expression de Kesley quand elle lui avait fait part de ses doutes. Les fines rides entourant ses yeux semblaient s'être soudain approfondies et tout son visage s'était tendu, comme s'il avait reçu un coup de poing. Et elle ne se rappellerait que de cette expression-là, quand elle évoquerait le souvenir de Kesley, dans les années à venir, sachant qu'elle avait été responsable de sa souffrance.

— Avez-vous l'intention de passer la nuit ici? entendit-elle soudain Kesley lui demander.

Hébétée, elle regarda autour d'elle et s'aperçut qu'ils avaient accosté à la jetée de Madrona. Une lumière solitaire brillait dans la maison, sur la colline.

— Non, bien sûr, répliqua-t-elle acidement, le prenant pour cible de l'irritation qu'elle sentait monter en elle.

Elle se leva et accepta sa main pour sauter sur les planches de la jetée. Il amarra ensuite la vedette au ponton, puis ils se dirigèrent ensemble vers la maison, sans échanger un mot.

— Je vais faire du café, proposa-t-il quand ils pénétrèrent dans le grand salon silencieux. Nous en avons besoin.

Elle le suivit dans la cuisine et examina avec intérêt les rutilants équipements ménagers autour d'elle. Kesley avait luxueusement équipé la cuisine pour faciliter le travail de Freda, elle le devinait. Tandis qu'il s'activait à préparer le café, elle s'assit sur une chaise et posa ses coudes sur la table, lasse. Le silence qui régnait dans la pièce à cette heure nocturne créait une étrange intimité entre eux. Elle le suivit des yeux tandis qu'il sortait une cafetière de l'armoire, préparait un plateau avec deux tasses. Elle n'avait pas pénétré dans une cuisine depuis fort longtemps. Anna, à San Francisco, se serait offusquée si sa jeune maîtresse avait franchi le seuil de son domaine. Le souvenir d'Anna amena un sourire sur les lèvres de Lee. Elle remarqua distraitement que Kesley posait une tasse fumante devant elle. Pourquoi, en le voyant dans cet environnement, pensait-elle à une cuisine blanche, à des rideaux à carreaux rouges et blancs, à un bouquet de fleurs sur une table portant deux couverts ? Pourquoi s'imaginait-elle le regardant déguster un plat qu'elle avait préparé tout spécialement pour lui, attentive à sa réaction ? Ceux qui la connaissaient, à San Francisco, qui traitaient d'affaires quotidiennement avec elle aurait bien ri s'ils avaient deviné ses pensées, à ce moment-là ! Elle n'avait pas beaucoup changé, finalement, elle était toujours une jeune fille romantique...

Pourtant, l'amour ne s'abritait pas toujours dans un calme bonheur domestique. Harry et Boby, par exemple, vivaient sans être mariés et leur liaison n'était pas sans tristesse. Lee admettait à présent qu'ils puissent s'aimer. Harry n'aurait jamais été si affolé en voyant Boby malade s'il ne l'avait pas aimée... Mais Lee se savait incapable de mener la vie de Boby. Peut-être était-ce dû à l'éducation qu'elle avait reçu de ses parents ? Elle ne pouvait dissocier l'idée de l'amour de celle du mariage, de la sécurité, de la permanence. Mais peut-être Boby avait-elle aussi pensé en ces termes, un jour...

— Votre partenaire peut-il avoir accès à vos pensées ? lui demanda Kesley soudain.

Surprise, elle leva les yeux vers lui.

— J'étais en train de penser à Boby et à Harry, répondit-elle spontanément. Je crois qu'ils s'aiment beaucoup, finalement.

Il haussa les sourcils, amusé.

— Cela a l'air de vous surprendre, dit-il. Vivraient-ils ensemble depuis toutes ces années d'après vous, s'ils ne s'aimaient pas ?

Confuse, Lee baissa la tête pour échapper au regard pénétrant que Kesley posait sur elle.

— Je pensais que Boby était un peu stupide, admit-elle honnêtement, de rester avec Harry, d'accepter qu'il l'entretienne, alors qu'il ne lui donnera jamais la chose la plus importante...

— C'est-à-dire ?

Lee hésita un instant puis répondit d'une voix ferme :

— La sécurité, mais aussi une vie normale, un mariage heureux, des enfants...

— Beaucoup de couples ne souhaitent pas vraiment des enfants, remarqua-t-il. Ils sont contents de vivre à deux simplement.

Comme Susan et Kesley Roberts, gémit Lee en son for intérieur. Et soudain, elle fut contente de ne pas avoir donné le jour à leur enfant. Heureuse de n'être pas devenue l'épouse de Kesley, comme elle l'avait rêvé par le passé, puisqu'il n'était qu'indifférence envers les enfants. Si seulement elle avait pu le connaître à dix-huit ans comme elle le connaissait maintenant ! Elle n'aurait pas gâché toutes ces années par des regrets stériles et serait aujourd'hui mariée et heureuse avec un homme moins égoïste que lui ! La satisfaction que lui avaient procuré son travail, ses efforts, lui semblait vaine à présent, comparée au bonheur qu'elle aurait pu éprouver en aimant et en étant aimée. Pourquoi avait-elle gâché sa vie ainsi ? La violence de son émotion poussa Lee à se lever, repoussant bruyamment sa chaise. Mais à peine avait-elle fait quelques pas vers la porte que Kesley la rattrapa et l'attira contre lui. Instinctivement, elle posa ses mains sur ses épaules.

— Que se passe-t-il, Lee ? demanda-t-il durement. Est-ce la pensée de l'amour qui existe entre Harry et Boby qui vous trouble à ce point ? Ou bien pensez-vous aux enfants que vous auriez pu avoir, et réalisez-vous à quel point votre vie est vide ? Mais peut-être avez-vous l'intention d'engendrer au moins un fils avec votre fiancé-assistant, un fils qui reprendra plus tard la direction des établissements Whitney...

Stupéfaite, Lee le fixa sans rien dire, incapable de prononcer un mot. Mais les pensées tourbillonnaient dans son esprit enfiévré. Maitland avait-il déjà pensé au fils qu'ils pourraient avoir ?... Il porterait le nom respecté des Frasier mais hériterait de sa fortune à elle.

— La plupart des hommes veulent avoir un fils pour perpétuer leur nom, se défendit-elle, voulant échapper à tout prix à son regard scrutateur, à sa présence dominatrice.

Elle partirait le lendemain matin même ! décida-t-elle brusquement. Il était tellement plus aisé de détester Kesley à bonne distance !

— La plupart des hommes veulent avoir un enfant de la femme qu'ils aiment, corrigea-t-il du tac au tac, et pas seulement pour garder la fortune au sein de la famille.

— Qu'en savez-vous ? s'écria agressivement Lee, se raidissant. Vous avez été marié pendant des années mais vous n'avez jamais eu d'enfants !

— Non, c'est vrai.

Le ton dur dont il avait prononcé ces mots pouvait être interprété de façons très différentes. Regrettait-il de ne pas avoir un fils pour justifier ces années de mariage ? Non, c'était ridicule... Il avait aimé Susan passionnément. Il avait dû éprouver au moins une fois le désir de lui donner un enfant... A moins que...

— Votre femme ne pouvait pas avoir d'enfants ? demanda-t-elle à voix basse, honteuse à présent d'avoir peut-être effleuré un sujet douloureux pour Kesley.

— Non, elle en aurait été tout à fait capable, répondit-il sans émotion apparente, mais elle ne voulait pas, je cite, « perdre sa ligne »... Et son corps revêtait une grande importance pour Susan...

Instinctivement, Lee voulut se boucher les oreilles, mais elle n'osa pas. Toute allusion à Susan la mettait mal à l'aise mais elle éprouvait en même temps l'inavouable besoin de savoir que Susan n'avait pas été une épouse sans défauts.

Le sifflement du percolateur indiqua que leur

deuxième tasse de café était prête. Kesley abandonna Lee pour l'arrêter, et la jeune femme se dirigea à pas hésitants vers une chaise où elle se laissa tomber. La cuisine lui semblait soudain sinistre, l'atmosphère chargée d'un mystère déplaisant et morbide.

— Susan n'aimait pas les enfants, continua Kesley en déposant devant elle sa tasse. Ils l'ennuyaient et elle ne détestait rien plus que l'ennui. Elle haïssait également Madrona, surtout à cause de son calme, de la solitude.

— Excusez-moi, mais je n'ai pas vraiment envie d'entendre parler de Susan, l'interrompit-elle. D'ailleurs, votre mariage ne me regarde pas...

— Si, je crois que si, objecta Kesley, soudain tendu, en saisissant sa main posée sur la table. Je dois t'en parler à cause de... nous. Je n'ai pas été tout à fait honnête avec toi, Lee. Je ne t'ai pas dit pourquoi...

La porte s'ouvrit brusquement à ce moment-là, empêchant Kesley d'achever sa phrase. Dorothy apparut sur le seuil de la cuisine, en peignoir. Sans fards, son visage n'en paraissait que plus maigre et ses yeux plus minuscules, tandis qu'ils se posaient, soupçonneux, sur les mains jointes de Kesley et de Lee.

— Je savais bien que j'avais entendu du bruit, annonça-t-elle. Que se passe-t-il donc, Kesley ? Il y a eu tellement de remue-ménage dans cette maison, cette nuit, que je n'ai pas pu fermer l'œil !

Kesley expliqua brièvement le malaise de Boby et leur traversée jusqu'à l'île voisine, sans pour autant abandonner la main de Lee.

— Oh... Je vois, fit Dorothy quand Kesley se tut. Je savais qu'elle était mal en point, ce soir, au dîner. Je voulais faire quelque chose mais chacun semblait penser que je me mêlais de ce qui ne me regardait pas...

Elle soupira profondément, feignant l'accablement, avant de tourner les talons et de se diriger vers la porte. Mais avant de sortir, elle se retourna vers eux et dit d'un ton narquois :

— Au moins, cette histoire vous a rapprochés, tous les deux. Ce n'est pas trop tôt, si vous voulez mon avis... J'avais du mal à croire à ta prétendue amnésie, Kesley. Tu te souviens aussi bien que moi de Lee, n'est-ce pas ? Je sais que toute cette histoire est vieille, mais ta mémoire n'a jamais été défaillante au point de l'oublier, allons ! En tout cas, je ne te croirais pas si tu me disais le contraire, moi. Tu dois bien avoir tes raisons pour avoir monté cette comédie mais je ne vais rien te demander... Je ne voudrais pas être indiscrète...

— En effet, je sais depuis longtemps que la discrétion est la principale de tes qualités, railla tranquillement Kesley avant que Dorothy ne referme la porte derrière elle.

A part une imperceptible pression de sa main sur les doigts de Lee, il avait écouté sans protester le discours de Dorothy.

8

Seul le bourdonnement du réfrigérateur rompait l'épais silence qui s'était abattu dans la cuisine avec le départ de Dorothy. Lee fixait sans la voir sa main blanche dans, celle, brune, de Kesley. Il savait... Il n'avait jamais oublié la nuit qu'ils avaient passée à San Francisco, sept ans auparavant... Et il n'avait rien dit ! Pourquoi ?

Ses yeux n'étaient qu'une immense question quand elle les releva enfin lentement vers lui qui attendait, silencieux, les lèvres serrées dans un pli déterminé.

— Pourquoi ? Pourquoi, Kesley ? demanda-t-elle faiblement.

— Serais-tu venue à Madrona si tu avais su qui j'étais ? demanda-t-il brusquement.

— Mais... Je savais qui tu étais, répondit-elle, abasourdie. Je suis venue pour... pour...

— Pour te venger de la nuit à San Francisco, n'est-ce pas ? devina-t-il.

— Oui... Oui, pour cela, admit-elle.

Une profonde peine assombrit les yeux de Kesley.

— Je le savais, dit-il tristement. Le seul moyen pour moi de te garder à Madrona était de prétendre avoir perdu la mémoire. Je voulais me laisser un peu de temps pour te reconquérir. C'est pourquoi j'ai amené volontairement Freda à penser que je souffrais d'amnésie. Je n'avais pas prévu, évidemment, que Dorothy arriverait à Madrona durant ton séjour...

Il baissa la tête en disant ces derniers mots, accablé.

Lentement, Lee reprenait ses esprits. Et la douleur qui l'habitait depuis sept ans se réveilla.

— Mais pourquoi moi ? gémit-elle. Pourquoi ? Il devait y avoir d'autres femmes dans ta vie quand tu étais marié à Susan. Pourquoi me faire venir, moi, maintenant ?

— Selon toi je t'ai choisie parmi une longue liste de noms à cause de ta fortune, n'est-ce pas ? questionnat-il, la voix tendue. Eh bien, tu te trompes sur les deux points.

Il serra encore plus la main de Lee, comme s'il voulait la convaincre par la force.

— Il n'y a jamais eu personne d'autre que toi, Lee, murmura-t-il. Je sais que je me suis mal conduit. Tu étais si jeune, si innocente et... J'étais un homme marié, à l'époque. Mal marié, mais marié tout de même...

Soudain, il lâcha sa main, se leva et se mit à arpenter la cuisine de long en large.

— Tu étais la femme dont je rêvais depuis longtemps. Douce, gentille, si confiante... Je n'arrivais pas à croire que tu pouvais vraiment m'aimer, que...

— Tu oublies quelque chose, lui rappela sèchement Lee. Tu étais marié...

— Oui, j'étais marié.

La violence de sa réponse la fit sursauter. Elle rassembla tout son courage pour assener sa seconde accusation.

— Et tu es resté marié...

— Oui, je suis resté marié, explosa-t-il. Que pouvais-je faire d'autre ? Quand je suis rentré de San Francisco, j'ai demandé le divorce à Susan et...

Il tourna le dos à Lee, comme pour lui dissimuler une violente émotion.

— Et elle m'a menacé de se suicider si jamais je la quittais...

Soupirant, il fit face à Lee, avant de reprendre, d'une voix monocorde :

— Ce n'était qu'une vaine menace, un chantage sentimental... Comme sa promesse d'avoir un enfant, plus tard, toujours plus tard... Pourtant, elle ne m'aimait pas. Elle avait un caractère complexe, Lee, vous étiez on ne peut plus différentes. Pour elle, seules comptaient les réceptions mondaines, les belles toilettes... Peut-être essayait-elle de prendre une revanche sur la vie ? Le fait de n'avoir été qu'une parente pauvre dans la famille de Dorothy l'avait beaucoup blessée. Quoi qu'il en soit, je savais qu'elle était instable, fragile psychologiquement parlant. Elle avait besoin de moi, d'une certaine manière...

Il tira sa chaise à lui et se rassit, sans lâcher Lee des yeux.

— Il n'y a jamais eu personne d'autre que toi dans ma vie, Lee, je le jure. Mon mariage était un échec, dès le début, mais je n'ai jamais éprouvé le besoin d'aimer une autre femme... Jusqu'à notre rencontre...

— Et depuis ? le pressa Lee, incapable de réprimer un soupir de soulagement quand elle le vit secouer la tête en signe de dénégation.

— Non, il n'y a eu personne. Je n'avais pas abandonné l'espoir d'obtenir le divorce de Susan quand j'ai appris que...

Ses yeux rencontrèrent ceux de la jeune femme et elle fut atterrée de la douleur qu'elle y lut.

— Que tu avais épousé Fletcher Whitney... dit-il enfin. A partir de ce moment-là, ce n'était plus la peine d'espérer. Officiellement, Susan et moi étions toujours mariés mais nous vivions chacun de notre côté... Elle avait ses... ses amis, et j'avais Madrona.

Lee comprit sans peine le sous-entendu de Kesley. Une vague d'amertume et de colère lui dessécha la gorge. Quelle femme avait donc été Susan pour menacer de se suicider quand il lui avait demandé sa liberté pour ensuite l'abandonner à la solitude de Madrona tandis qu'elle-même menait joyeuse vie en compagnie de ses amants ?

— Elle méritait de mourir, fit soudain Lee avant de penser à ce qu'elle disait.

Elle jeta un regard confus à Kesley, honteuse de s'être laissée aller ainsi à sa rancune.

— Personne ne mérite de mourir de cette façon, Lee, lui rappela Kesley, sans colère. C'est assez étrange, d'ailleurs...

Il s'interrompit et ses yeux se fixèrent sur un point invisible, derrière elle. Pensif, il reprit.

— Je crois qu'elle a toujours su, au plus profond d'elle-même, qu'elle mourrait de la même façon que ses parents. Ils se sont tués dans un accident de la route et elle semblait se résigner à connaître la même fin.

Un désagréable frisson parcourut Lee.

— C'est impossible, raisonna-t-elle. Elle ne pouvait le savoir d'avance... Et c'est toi qui conduisais, ce soir-là ; elle n'y était pour rien si la route était glissante à cause de la pluie, à moins que...

Elle se mordit les lèvres, souhaitant n'avoir jamais commencé à parler.

— A moins que ? lui demanda doucement Kesley.

— Eh bien, hésita-t-elle, vous étiez bien allés à une réception, ce soir-là ?

— Je vois où tu veux en venir... Non, je n'étais pas ivre en prenant le volant. Je n'avais bu que deux verres de champagne. Susan, elle, s'était délibérément enivrée... D'autre part, elle m'avait fait une scène avant de partir parce que j'avais eu le malheur d'échanger plus de deux mots avec une autre invitée. L'alcool et la jalousie l'ont poussée à...

Il détourna la tête, incapable d'en dire plus. Lee le

fixait d'un regard incrédule. Lentement, le jour se fit dans son esprit.

— Elle a causé l'accident, n'est-ce pas? devina-t-elle. La pluie n'y était pour rien...

Ses yeux s'agrandirent d'horreur tandis qu'elle prenait conscience de toutes les implications de sa découverte.

— Elle a tenté le sort, pour être sûre de mourir comme ses parents...

— Je ne sais pas pourquoi elle a agi ainsi, répondit Kesley d'une voix brisée. Je sais seulement qu'elle s'est couchée sur le volant et je n'ai pas pu garder le contrôle de la voiture qui est tombée de la falaise... Susan est morte sur le coup...

— Et tu aurais pu mourir, toi aussi, chuchota Lee, horrifiée. Oh, Kesley!

Kesley se pencha en travers de la table et lui saisit les mains.

— M'aurais-tu pleuré, Lee? demanda-t-il.

Elle chercha dans ses yeux une trace de vanité malsaine mais elle n'y vit qu'une attente désespérée. Pourquoi essaierait-elle de dissimuler ses sentiments maintenant?

— Je serais morte moi aussi, Kesley, répondit-elle simplement, étreignant sa main.

— Alors, pourquoi? Lee, pourquoi as-tu épousé Fletcher? Ignorais-tu que j'aurais remué ciel et terre pour te retrouver? Pourquoi ne m'as-tu pas fait confiance?

Désarçonnée, Lee l'écoutait. Durant sept ans, c'est elle qui avait été l'accusatrice, la plaignante, et soudain elle se retrouvait sur le banc des accusés. Elle n'était pas accoutumée à cette situation.

— Comment peux-tu dire que je ne te faisais pas confiance, Kesley? fit-elle tristement. J'attendais un enfant, et c'est Fletcher, et non toi, qui m'a offert de l'épouser. Je ne me suis pas mariée avec lui par intérêt,

150

comme tu sembles le croire, mais pour donner un nom au fruit de notre... De notre aventure...

Les traits de Kesley se décomposèrent.

— Tu attendais un enfant ? Mon enfant ?

Lee ne prononça pas une parole, mais Kesley lut dans ses yeux qu'elle ne mentait pas. Il retira soudain ses mains de celles de Lee et y enfouit son visage. De longues minutes s'écoulèrent dans le plus profond des silences. Lee se tut. Qu'aurait-elle pu dire ?

— Et l'enfant ? Où est-il maintenant ? A San Francisco ?

— Je... Je l'ai perdu, souffla Lee, sentant se ranimer en elle le désespoir du passé. Au cinquième mois... J'étais déjà mariée avec Fletcher...

Kesley releva soudain la tête et la fixa d'un regard égaré.

— Tu attendais un enfant de moi et malgré cela... Fletcher t'a épousée ?

— Oui, parce qu'il était très lié avec mon père et qu'il voulait me protéger, comme mon père l'aurait fait s'il avait été vivant, à cette époque. J'ai beaucoup aimé Fletcher, et je crois qu'il me rendait mes sentiments.

— Que veux-tu dire ? demanda Kesley, soupçonneux.

— Il adorait sa première femme, morte quelques années avant que je ne commence à travailler pour la Whitney. Je crois qu'il voyait en moi, la fille qu'ils n'avaient pas eue. Il m'a donné son nom, son appui, sa tendresse, et toute sa fortune quand il est mort... Et en échange, il... Il ne m'a rien demandé...

Le visage de Kesley se crispa affreusement et Lee souffrit de le voir ainsi désespéré mais elle ne fit pas un geste. Elle se sentait incapable du moindre mouvement, vidée de toute substance. La tension nerveuse qui l'avait soutenue au cours de toutes ces explications l'abandonna tout à coup, et elle remarqua avec une certaine indifférence que les yeux de Kesley brillaient de larmes retenues.

— Je... Je ne sais que dire, murmura-t-il enfin, je crois que je me suis grossièrement trompé sur le compte de Fletcher, durant toutes ces années... Mais il est trop tard pour m'excuser...

Oui, il était trop tard, songea Lee. Mais Fletcher aurait été le premier à se réjouir de leur union. Combien de fois lui avait-il assuré qu'elle finirait par renaître à l'amour, envers et contre tout ?

— Non, tu peux lui faire des excuses posthumes, auprès de moi, suggéra-t-elle.

Il se leva sans hésitations et la prit dans ses bras.

— Je vous demande pardon, à Fletcher, et à toi, dit-il avec ferveur. Surtout à toi... Si seulement je t'avais écrit, ou téléphoné, pour te faire part de mes intentions... Mais je ne l'ai pas fait et les regrets ne servent à rien. Le passé est le passé. Mais je t'aime, Lee, mon Dieu, comme je t'aime. Quand je t'ai vue à la fenêtre de ta chambre, le premier jour, c'était... Comme une résurrection...

Lee tendit les mains et les glissa dans ses cheveux bouclés pour les caresser avec toute la tendresse du monde.

— J'étais venue pour me venger, avoua-t-elle, mais je n'ai pas mis longtemps à comprendre que toute la haine que j'avais pour toi n'était qu'un prétexte, une façade destinée à cacher mes sentiments réels.

Elle se dressa sur la pointe des pieds pour déposer un léger baiser sur ses lèvres et il l'enlaça plus étroitement encore.

— Nous aurons d'autres enfants, murmura-t-il à son oreille.

— Oui.

Leurs lèvres se joignirent avidement et ce baiser émut Lee infiniment plus que tous les autres, car il scellait leurs véritables retrouvailles. Leurs cœurs bat-

152

taient à l'unisson à présent, et rien ne viendrait plus gâcher le bonheur de Lee. Les doutes s'étaient envolés, la peur les avait suivis. Leurs corps étaient faits l'un pour l'autre elle ne pouvait en douter, et elle n'en éprouvait plus aucune honte car elle savait que leurs âmes communiaient dans le même amour. Dans le baiser qu'elle donnait à Kesley, elle se donnait tout entière. Il sentit un abandon tout nouveau chez elle et chuchota à son oreille :

— Cela veut-il dire que tu consens à m'épouser ?

— Cher monsieur Roberts, il faudra me soumettre votre requête en trois exemplaires ; je déciderai alors si cette union est conforme aux intérêts de la compagnie Whitney, plaisanta-t-elle.

Instantanément, il redressa la tête, les yeux brillants de colère.

— Vas-tu être ma femme ou la directrice de la Whitney ? gronda-t-il.

— Ne puis-je être les deux ?

— C'est ce que tu désires ?

— En ce moment, non, à vrai dire, avoua-t-elle en souriant, caressant légèrement le cou de Kesley. Mais peut-être un jour aurai-je envie de retravailler ? Je t'aime, Kesley, j'aime Madrona, je crois que j'aime tout ce que tu aimes mais je ne veux pas être seulement une épouse.

— Et si nous avons des enfants ?

— Même quand nous aurons des enfants, dit-elle fermement.

Kesley avait volontiers affiché son libéralisme sur le travail des femmes mais comment réagirait-il quand il devrait passer de la théorie à la pratique ?

— Eh bien, dit-il légèrement, feignant la résignation, nos enfants devront s'habituer à une mère partageant son temps entre Vancouver et San Francisco...

— Oui, mais leur père devra l'accompagner, décida-t-elle.

Il fronça les sourcils.

— Je crois qu'il nous faudra organiser des négociations sur ce point, ma chérie...

— Entendu ! opina-t-elle, sachant par avance qu'elle céderait.

Quelle importance cela avait-il ? Elle était dans les bras de celui qui était et serait toujours pour elle son amour et sa vie.

Que pouvait-elle désirer d'autre ?

Harlequin Romantique

la grande aventure de l'amour

Un monde passionné
où règnent amour et aventure,
des personnages dont les sentiments
demeureront inoubliables.

Quelques commentaires de nos lectrices sur les romans Harlequin...

"Jamais je n'ai lu un livre avec autant de passion, surtout que chaque livre comprend un tendre roman d'amour."
J.G.B.,* St. Elzéar, P.Q.

"Je vous félicite pour cette initiative de lancer des livres d'abord facile et détendant faisant appel à un sentiment universel, l'amour."
C.L., Beauce, P.Q.

"Je les ai lus, pour ne pas dire dévorés."
E.G., Delisle, P.Q.

*Noms fournis sur demande.

Vive l'amour! avec les romans de

Collection Harlequin

Transformez vos moments perdus
en expériences passionnantes,
avec…COLLECTION HARLEQUIN!
Venez voyager avec nous aux pays où
l'amour règne en maître, où les beaux
sentiments défient tous les dangers,
triomphent de tous les obstacles.
Laissez-vous emporter dans le monde
excitant et merveilleux d'Harlequin!

Complétez votre bibliothèque Harlequin en choisissant parmi les volumes suivants…

Commandez les titres que vous n'avez pas eu l'occasion de lire...

46 La rebelle apprivoisée
Anne Hampson

47 La haine aux deux visages
Roberta Leigh

48 La château des fleurs
Margaret Rome

49 La tour des quatre vents
Elizabeth Hunter

50 Arènes ardentes
Flora Kidd

51 La sirène du désert
Margaret Rome

52 En un long corps à corps
Charlotte Lamb

53 Pour le malheur et pour le pire
Janet Dailey

54 L'aigle aux yeux vides
Anne Hampson

55 Une étoile au cœur
Roberta Leigh

56 Sortilège antillais
Violet Winspear

57 Le dernier des Mallory
Kay Thorpe

58 Le ranch de la solitude
Elizabeth Graham

59 Le piège du dépit
Rosemary Carter

60 Sous l'aile du dragon
Sara Craven

61 La maison des amulettes
Margery Hilton

62 Une jeune fille en bleu
Katrina Britt

63 La fleur fragile du destin
Stella Frances Nel

64 Les survivants du Nevada
Janet Dailey

65 L'oasis du barbare
Charlotte Lamb

66 La passagère de l'angoisse
Anne Hampson

67 La rose des Médicis
Anne Mather

68 Le val aux sources
Janet Dailey

69 Tremblement de cœur
Sara Craven

70 Comme un corps sans âme
Anne Weale

71 Au grand galop d'une roulotte
Margaret Rome

72 Le seigneur de l'Amazone
Kay Thorpe

73 Un paradis pour Cendrillon
Violet Winspear

Dans chaque roman HARLEQUIN, une belle histoire d'amour...

Confiez-nous le soin de votre évasion!
Postez-nous vite ce coupon-réponse.

Laissez-vous séduire . . .

HARLEQUIN SEDUCTION

Tout ce que vous attendez d'une grande histoire d'amour!

Excitant . . . l'action vous tient en haleine jusqu'à la dernière page!

Exotique . . . l'histoire se déroule dans des pays merveilleux aux charmes innombrables!

Sensuel . . . l'amour est passionné, le désir incontrôlable!

Moderne . . . l'héroïne est une femme épanouie, qui a de la personnalité!

Dès maintenant . . .

2 romans Harlequin Séduction chaque mois.

Ne les manquez pas!

Chez votre dépositaire ou par abonnement.
Ecrivez au
Service des livres Harlequin
649 Ontario Street
Stratford, Ontario N5A 6W2